Le voyage pour les filles qui ont peur de TOUT

Le voyage pour les filles qui ont peur de TOUT

ARIANE ARPIN-DELORME
MARIE-JULIE GAGNON

Illustrations de Nathalie Jomard

À Maya, la plus grande des petites voyageuses ;
À mes lectrices et abonnées sur les réseaux sociaux ;
À toutes les blogueuses inspirantes qui ont croisé ma route ;
À Jo : merci, merci, merci.
Marie-Julie

À Mike, le plus grand aventurier et complice de vie ;
À mes voyageuses qui m'ont confié l'encadrement
de leur voyage de rêve !
Ariane

Pour en finir avec nos peurs

Nous sommes des trouillardes. Des vraies de vraies, avec des manies, des obsessions et des superstitions (quoi, vous n'avez pas de T-shirt chanceux, vous ?). Ariane ne part jamais sans son arsenal de « potions » naturelles visant à guérir tous les bobos possibles et sa seringue d'épinéphrine, surtout depuis qu'elle a sauvé la vie d'un voyageur allergique à un antibiotique qu'elle guidait vers le camp de base de l'Everest. Marie-Julie, elle, a arrêté de compter ses phobies quand elle a réalisé qu'elle n'avait plus assez de doigts. Sans parler de toutes les maladies qu'elle croit attraper à tout bout de champ !

Même après des centaines de départs, nous avons toujours cette peur au fond du ventre. Pas celle qui empêche d'avancer, non, celle qui maintient en alerte. Remarquez, parfois, la machine à scénarios s'emballe un peu trop. Et si l'avion disparaissait dans une tempête de neige ? Qu'on attrapait le virus Ebola ? Qu'on gagnait le jackpot et qu'on se faisait piquer par un moustique porteur et du paludisme, et de la dengue et du chikungunya (ça se peut ?!) ? Ou pire : qu'on découvrait une nouvelle maladie PARCE QU'ON EST LES PREMIÈRES À L'ATTRAPER ? Non, ce n'est pas pour rien que, pour déstresser, Ariane fait du yoga et Marie-Julie vide des pots de Nutella à la petite cuillère (à chacune sa thérapie).

Pourtant, nous avons toutes deux fait du voyage le pilier de nos vies et avons bourlingué dans toutes les conditions, très souvent en solo. Nous ne sommes ni l'une ni l'autre millionnaires, mais nous avons, chacune à notre manière, tout mis en place pour pouvoir partir le plus souvent possible : en prenant par exemple part à des stages internationaux axés sur l'humanitaire, en faisant le choix d'aller travailler à l'étranger et en bâtissant nos carrières autour de notre passion commune pour l'Ailleurs.

Chacune de notre côté, nous avons l'une et l'autre visité plus d'une quarantaine de pays. Ariane a notamment travaillé en Angleterre et en France, a participé à des projets de coopération humanitaire au Guatemala à l'âge de 16 ans, puis au Pérou, en Inde, au Laos, au Cambodge, en Birmanie et en Mongolie. Elle a aussi parcouru l'Inde en solo pendant un an l'année de ses 25 ans, puis l'Asie du Sud-Est à cinq reprises, chaque fois pour des périodes allant d'un à cinq mois. Elle adore autant partir seule qu'en couple !

Après plus de seize ans à travailler dans l'industrie du tourisme et de l'organisation de voyages sur-mesure, Ariane possède aujourd'hui sa propre agence, Esprit d'Aventure (esprit-daventure.com). Elle enseigne aussi le tourisme au collège[1] depuis quatre ans. Son moteur : aller à la rencontre des peuples, sensibiliser à la nécessité d'un tourisme durable et partager son ouverture sur le monde. Ses deux autres grandes passions sont la voile et la randonnée en haute montagne.

De son côté, Marie-Julie est auteure, chroniqueuse télé et radio et publie des reportages dans différents médias. Elle développe également des concepts d'émissions pour

---

1 Université, pour la France.

une société de production montréalaise et a toujours 5 843 905 projets sur le feu. Elle compte sept autres livres à son actif, en plus de sa contribution à des ouvrages collectifs. Elle a également lancé son propre blogue[2], Taxi-brousse (taxibrousse.ca), en 2008, et est accro aux réseaux sociaux, notamment Twitter et Instagram (@Technomade).

Alors qu'elle travaillait comme journaliste, reporter et chroniqueuse télé depuis près de sept ans (elle a vendu ses premiers papiers à l'âge de 18 ans !), Marie-Julie a effectué un stage de vidéo reporter au Burkina Faso avec un organisme de coopération internationale. Elle a tourné et réalisé des reportages destinés à différentes émissions de télévision québécoises, se baladant seule avec une caméra dont la taille n'avait rien à voir avec celles d'aujourd'hui. Elle a par la suite étudié l'anglais à Vancouver, puis vécu à Taïwan pendant dix-huit mois, où elle a enseigné sa langue seconde et concocté de nombreux reportages pour la presse écrite et la télévision. Au fil des ans, elle s'est intéressée de près aux phénomènes de société et au monde du tourisme.

Depuis quelques années, elle consacre une bonne partie de son énergie au voyage. Ses priorités financières sont claires : elle ne possède ni voiture ni téléviseur dernier cri, tout comme elle préférera toujours – et de loin – acheter des billets d'avion plutôt que des tenues hors de prix. Elle a aussi la chance d'être invitée aux quatre coins de la planète pour découvrir différents produits touristiques dans le cadre de son travail. Elle aime partir aussi bien seule qu'en famille ou avec des copains. Pour elle, ce qui prime, c'est l'expérience, les rencontres et l'émotion. Certains voyagent pour voir le monde, elle, c'est pour le « ressentir ».

---

2 « Blog » pour les Françaises, vous aurez reconnu !

NOS SOUVENIRS LES PLUS MARQUANTS ?

Ariane évoque pêle-mêle l'escalade des pics rocheux de Railay Beach en Thaïlande (où elle a rencontré il y a dix ans le *british gentleman* épousé cinq ans plus tard), les femmes birmanes portant le tanaka aux joues, les safaris-photos du Botswana, la faune endémique des îles Galapagos, le romantisme de Bali, en Indonésie, la force de croire à Jérusalem, les trajets en train à travers l'Asie centrale, la randonnée dans les montagnes de l'Himalaya, au Népal, la cueillette du thé avec les femmes tamoules au Sri Lanka, les nuits en hamac au Venezuela, les bars à saké de Tokyo, le yoga en Inde, les orangs-outans de Bornéo, les balades à dos de dromadaire dans le silence du Sahara marocain, les enfants de l'Amazonie péruvienne, la gastronomie vietnamienne, la plongée en cage parmi les grands requins blancs en Afrique du Sud, les périples à travers les vignobles d'Europe, les marchés du Guatemala, l'architecture de Singapour, la célébration de Noël avec les Kunas aux îles San Blas au Panama, les rizières de Madagascar et surtout la voile, un peu partout dans le monde…

Marie-Julie, quant à elle, n'oubliera jamais sa première rencontre avec l'Asie, ses multiples voyages en train, les centaines de bélugas de Churchill, son trek dans la jungle thaïlandaise, les paysages découverts du haut des airs, son périple sur les traces des Vikings à Terre-Neuve, les histoires rocambolesques des Yukonnais, ses dégustations en Champagne, les stars bollywoodiennes en plein tournage à Bombay, les protestations de la foule du marché de Ouagadougou devant sa caméra, les ex-enfants esclaves des plantations de cacao à la frontière du Mali, les éléphants baveux à qui elle a donné la collation en Thaïlande, le *night-life* taïwanais, les randonnées et les animaux du Costa Rica, les enfants des rues de Dakar et de Saint-Louis, les cultivateurs de cacao et de café en République dominicaine, les charmants vignerons italiens et le Carrément Chocolat de Pierre Hermé à Paris. Elle aussi a épousé un étranger : un Sénégalais rencontré à Taïwan il y a treize ans... Ils sont aujourd'hui les heureux parents d'une fillette de 8 ans.

C'est pour toutes ces raisons et à cause des voyageuses aux profils bien différents croisées au fil de nos pérégrinations que nous avons tenu à faire ce livre.

Pour que vous osiez, vous aussi, saisir votre baluchon et commencer votre collection de souvenirs glanés aux quatre coins de la planète.

Pour que le rêve devienne votre réalité.

Pour l'amour, l'humour, le désir et l'impossible amadoué.

Pour les montagnes à gravir, les océans à traverser et tous ces desserts exotiques à essayer (ben quoi !).

Parce qu'aller plus loin n'est pas qu'une question de géographie.

Et parce qu'il faut bien rire un peu (beaucoup) de soi en cours de route !

Qu'attendez-vous pour lever l'ancre ?

Vous rêvez de voyager, mais les « si » vous mettent plus de bâtons dans les roues que vos parents à l'époque où vous rêviez de sortir en boîte sans en avoir l'âge légal. Hypocondriaque ? Germaphobe ? Terrorisée par l'éventualité d'être attaquée par une armée de tarentules encore plus poilues que Pierce Brosnan ? Et si vous vous trompiez d'avion ? Que vous vous perdiez au milieu du désert ? Que vous étiez enlevée par une tribu d'indigènes (peut-être pas le meilleur exemple, remarquez – surtout s'ils ont la carrure de Tarzan) ?...

Pas de panique. Nous avons toutes des craintes (et le fantasme de tomber sur Tarzan). **Vous pouvez partir, vous aussi, peu importent vos phobies, votre âge ou votre budget.**

Nous avons fait appel à plusieurs professionnelles du voyage, principalement des blogueuses et des journalistes de renom d'un peu partout sur la planète, pour vous aider à désamorcer toutes les bombes qui menacent de faire « boum » chaque fois que vous vous approchez de votre rêve.

Vos premières expériences de voyage vous feront peut-être réaliser que votre quotidien vous convient tout à fait. Partir pour des vacances, oui, mais sans plus ! Ou alors grossirez-vous, au contraire, les rangs des accros, qui ressentent le besoin de s'offrir une parenthèse plus ou moins longue de ce que plusieurs appellent « la vraie vie », avec un job régulier et un chez-soi ? Dans ce monde où tout est rangé, classé, ordonné et évalué, un peu de chaos peut devenir salvateur. **Apprivoisez d'abord la voyageuse que vous êtes.** Car oui, une aventurière sommeille en vous, quelle que soit votre personnalité ! Plutôt « Indiana Jones » ou « Dora l'exploratrice » ? Les profils que nous avons imaginés reflètent un état d'esprit correspondant à un moment donné de nos vies. **Nous sommes toutes plusieurs de ces filles à la fois, à différents instants.**

Voyager, c'est tenter de trouver un rythme plus adapté à son propre pouls. C'est découvrir une palette de couleurs dont on ne soupçonnait même pas l'existence. Apprendre sur d'autres peuples, d'autres cultures, d'autres modes de vie. Perdre ses repères et s'en créer de nouveaux. Se réinventer au fil des rencontres et des découvertes. Respecter et accepter ses limites avec, toujours, l'envie d'aller plus loin. C'est aussi parvenir à rire de soi plutôt que de se laisser freiner par ses travers et ses névroses !

Quelle voyageuse êtes-vous ?

La phobique à gogo

Signes distinctifs :

☐ Ne part jamais sans sa trousse de premiers soins, un sifflet et un porte-bonheur.

☐ A la phobie des insectes, des bêtes sauvages et des accidents les plus improbables.

☐ Connaît les numéros d'urgence de tous les pays qu'elle visite.

☐ Sait crier « À l'aide ! » dans plus de 20 langues.

☐ Ongles rongés, mèche nerveusement enroulée autour de ses doigts… Elle ne compte plus ses tics.

☐ Porte en permanence sous ses vêtements une pochette pour ranger passeport et argent.

Dans un dortoir, c'est la fille qui ne dort que d'un œil, lampe de poche à la main. Gare à celui qui s'approchera de trop près : sa torche peut aussi servir de matraque ! À l'hôtel, elle verrouille toujours sa porte à double tour. Il lui arrive même d'y installer une petite alarme personnelle… Les gadgets de sécurité, elle connaît. Elle possède des cadenas de toutes les tailles. Elle a imaginé tous les scénarios d'enlèvement possibles (même quand elle rend visite à sa tante en Auvergne). Elle évite soigneusement toutes les régions à forte activité sismique ou reconnues pour leur taux élevé de criminalité.

Malgré tout, l'idée de rester à la maison ne lui traverse pas l'esprit. C'est en se préparant à toute éventualité qu'elle puise sa force et sa confiance. Elle arrive toujours à dédramatiser les situations d'urgence en les visualisant : s'imaginant en Speedy Gonzales en cas de tsunami ou du vol de son sac rempli de Xanax. Et puis, que serait l'aventure s'il n'y avait pas un peu de trouille pour pimenter le tout ?

Son habitat naturel : Le Japon, reconnu comme l'un des pays les plus sûrs au monde.

Ses meilleurs amis : Les agents de sécurité et les videurs. Au fil des ans, elle a développé mille et un stratagèmes pour s'en faire des alliés.

Son modèle : Lucky Luke, qui n'a peur de personne !

Ses indispensables : Un miroir de poche, pour pouvoir aisément regarder derrière elle comme si de rien n'était, et des cigarettes, pour se faire d'éventuels alliés.

Son rêve : Que les Japonais deviennent maîtres du monde.

Ses destinations : Le Japon, bien sûr, mais aussi Taïwan et les pays scandinaves.

Conseils de pro :

« Quand on est du genre à toujours imaginer le pire, voyager peut être très déstabilisant. Nos sens sont extrêmement sollicités. Un petit truc tout simple pour se faire du bien est d'emporter, ou d'acheter en pharmacie, un produit dont l'odeur nous rappelle des moments de détente. Le sens olfactif est intimement lié à nos émotions et nos souvenirs : un peu de sels de bain d'eucalyptus pour être comme à la maison ou un petit vaporisateur à la lavande pour transformer sa chambre d'hôtel en un lieu moins étranger peuvent faire une grosse différence. Et quand vous aurez pris goût à l'endroit, achetez un savon ou des épices locaux. Vous associerez votre voyage réussi à un plaisir olfactif… et vous pourrez en profiter une fois rentrée ! »

**Véronick Raymond, 41 ans,
artiste et communicatrice, veronickraymond.com**

« Le plus important, dans le fond, c'est l'attitude et l'état d'esprit dans lequel on est. Il faut savoir être confiante, ouverte, curieuse, optimiste. Mais aussi attentive et pas trop naïve. Il faut apprendre à écouter la petite voix au fond de soi, son "instinct" comme on dit souvent. Quand "on ne le sent pas", en général, on peut s'y fier. Mais quand "on le sent" aussi. »

**Corinne Bourbeillon, 42 ans, journaliste et blogueuse,
petitesbullesdailleurs.fr et voyages.blogs.ouest-france.fr**

La baroudeuse de l'extrême

Signes distinctifs :

- [ ] Sac à dos rapiécé.
- [ ] Peut survivre sans trousse à maquillage.
- [ ] Son parfum : Région sauvage N° 5.
- [ ] Maîtrise les techniques de survie en forêt.
- [ ] Fuit les touristes.
- [ ] Vendrait son âme pour voyager plus longtemps.

P our elle, *La Galère* n'est pas que le titre d'une populaire série de Radio Canada : c'est un véritable mode de vie. Plus le chemin est chaotique, plus le sourire de la baroudeuse est grand. Ses galons d'aventurière, elle les gagne à coups de trajets en auto-stop, de repas dégotés dans les poubelles des grandes surfaces et d'hébergement dans les lieux les plus crades possible. Son bonheur est directement proportionnel à l'effort fourni. C'est l'antithèse de la vacancière en formule « tout compris » !

La baroudeuse de l'extrême n'a que faire des regards suspicieux qu'on lui jette quand elle traverse une zone touristique (qu'elle évite dans la mesure du possible, d'ailleurs – pas question de passer pour une routarde de pacotille !). Elle sait bien que c'est elle, la « vraie » voyageuse. L'expérience authentique se vit à la dure. La grandeur d'une aventure se mesure en litres de sueur. Les beaux paysages et les moments magiques se méritent ! Pour prétendre à ce statut, il faut avoir enduré beaucoup d'ampoules et réduit le contenu de son sac à dos au strict minimum. Qui a vraiment besoin de trois paires de chaussures ?

Son habitat naturel : La brousse (pour camper !) et les dortoirs d'auberges de jeunesse.

Son meilleur ami : Celui qui sent le plus fort à l'auberge. Forcément, en accumulant autant de crasse, il a beaucoup appris.

Ses modèles : Calamity Jane et Alexandra David-Néel, première femme d'origine européenne à avoir séjourné à Lhassa, au Tibet.

Ses indispensables : Chasse-ours à base de poivre de Cayenne et couteau suisse.

Son rêve : Le tour du monde à pied ou en stop.

Ses destinations : L'île de Madagascar, la Mongolie et l'Ouzbékistan.

Conseils de pro :

« *Pour moi, l'auto-stop est une combinaison d'aventure, de nourriture spirituelle et de moyen de transport, et la vitesse ou le confort ne sont pas mes priorités. Je suis ouverte au détour et laisse parfois de l'espace aux rituels, aux superstitions, aux symboles.*

Voici toutefois les trois conseils que je donne le plus souvent aux stoppeuses néophytes : utiliser les ressources de la communauté des auto-stoppeurs comme **Hitchwiki.org**, *préparer son périple, par exemple en visualisant son trajet sur Google Maps et pour repérer les stations-services, et être prête à tout. Dans les situations délicates pour la sécurité, il faut être en mesure de réagir rapidement aux événements. Le plus vite l'on se rend compte que quelque chose cloche, le moins on laisse les choses dégénérer. Avant de partir, imaginer le pire et les façons de s'en sortir. S'octroyer une bonne nuit de sommeil, et si l'on n'est vraiment pas dans son assiette, reporter le départ. Sur la route, porter une attention particulière à l'itinéraire et confronter son conducteur dès qu'il en dévie. Si vous êtes mal à l'aise, mentionnez-le une première fois, mais s'il n'en tient pas compte, donnez-lui l'ordre de s'arrêter et de vous laisser descendre, sans négocier. Dans ce cas, laissez de côté la politesse.* »

Anick-Marie Bouchard, 32 ans,
auteure et blogueuse, globestoppeuse.com

« *Je ne réserve jamais d'avance l'hébergement, sauf pour la première nuit qui suit un vol. Je suis plutôt du genre à faire confiance à la vie. Se présenter tardivement en fin de journée permet parfois de négocier le tarif d'un hébergement. Au Mexique, j'ai réussi à faire baisser le prix d'une cabina avec vue sur la mer de 600 à 250 pesos (50 à 20 $) rien qu'en faisant mine de partir !* »

Marie-Ève Blanchard alias Mawoui, 34 ans,
auteure et journaliste voyage, mawoui.com

L'hyperactive

Signes distinctifs :

☐ Porte des baskets multisports.

☐ On ne la voit jamais entrer ou sortir de sa chambre (au fait, dort-elle ?).

☐ Toujours en pleine forme, aux aurores comme en pleine nuit.

☐ A toujours l'air prête à escalader l'Everest.

☐ Connaît par cœur la liste et l'horaire des activités du coin.

☐ Prépare déjà son prochain voyage.

Elle arrive à caser trente heures dans une journée. Levée avant que le soleil étire ses premiers rayons, elle a le temps de faire son jogging, de lire le journal et de planifier ses quatre excursions quotidiennes avant même que vous songiez à prendre votre premier café.

L'idée de faire la crêpe une journée entière à la plage l'enthousiasme autant que Rambo un cours de tricot. Son carnet de bord est rempli de contacts et d'adresses à visiter « absolument ». Elle veut tout voir, tout goûter, tout sentir. Ça tombe bien : elle n'a pas besoin de dormir plus de quatre ou cinq heures par nuit de toute façon.

Pour elle, un voyage est réussi quand elle rentre plus épuisée à la maison qu'en partant. Le farniente ? Pourquoi faire ? Après tout, il y a plus de 200 pays à visiter !

Son habitat naturel : N'importe quel moyen de transport, tant qu'il y a du mouvement !

Son meilleur ami : L'insomniaque qu'elle croise au retour d'une folle nuit de fiesta et avant d'aller s'entraîner.

Ses modèles : Richard Branson, qui a lancé plus de 250 entreprises en quarante ans sans arrêter de voyager, Mylène Paquette, Québécoise qui a traversé l'Atlantique à la rame en solo, et Antigone : « Moi, je veux tout, tout de suite, et que ce soit entier, ou alors je refuse ! »

Ses indispensables : Guides de voyages qui résument l'essentiel d'une destination, anti-cernes et un bon déo !

Son rêve : Battre le record du plus grand nombre de pays foulés avant d'atteindre l'âge de 30 ans.

Ses destinations : La Nouvelle-Zélande, la Corse, le Népal, Bornéo et la Tanzanie.

Conseil de pro :

« *Envie de tout voir, de tout faire et, surtout, de ne rien manquer lorsque vous êtes en voyage ? La solution est simple : planifiez ! En faisant bien vos devoirs — lire, fouiller et se renseigner sur la destination —, vous saurez exactement quoi visiter une fois sur place et comment faire pour vous y rendre le plus efficacement possible. Achetez vos entrées dans les musées avant le départ, privilégiez les billets coupe-file pour visiter les monuments les plus populaires, gardez sur vous une liste, par quartier, des restaurants, cafés et bars qui vous font envie, munissez-vous d'une carte de transport valide pendant toute la durée de votre séjour, levez-vous tôt pour éviter la horde de touristes dans les lieux prisés, ayez plusieurs options de paiements pour éviter de devoir courir d'un guichet automatique à un autre, optez pour un hôtel près des lieux intéressants et planifiez en soirée votre journée du lendemain ; vous économiserez ainsi un temps précieux et pourrez assurément tout faire.* »

Sarah-Émilie Nault, 36 ans,
journaliste voyage indépendante, sarahemilienault.com

La fauchée

Signes distinctifs :

☐ A beaucoup de bagou.

☐ Voyage léger : jamais plus d'un petit sac à dos !

☐ Adepte du stop.

☐ Ne porte jamais de bijoux.

☐ S'habille sobrement : des vêtements aux couleurs neutres faciles à assortir !

☐ Connaît toutes les manières possibles de réinventer un bol de ramen.

S'empêcher de voir du pays parce qu'on n'a pas un rond ? Non mais ça ne va pas ?! Voyager, c'est d'abord une question de réseau. Et ça, la fauchée connaît ! Ses aptitudes sociales lui servent autant dans le virtuel que dans le réel. Elle est membre de CouchSurfing, site qui permet de passer la nuit sur le sofa d'un autre membre et de prêter le sien aux routards de passage, ainsi que de tous les groupes Facebook secrets liés au voyage à petit budget.

Elle a fait du stop son mode de vie. Pas qu'en voiture : en bateau aussi ! Pour elle, c'est une merveilleuse manière de tisser des liens. Elle privilégie le logement chez l'habitant et trouve mille et une manières de faire du troc, par exemple une leçon de français en échange d'un repas chaud. Il lui arrive

de pratiquer le WWOOFing (World Wide Opportunities on Organic Farms), qui consiste à travailler bénévolement dans des exploitations biologiques en échange de nourriture et d'un toit.
Ce n'est pas parce que son compte bancaire s'apparente au niveau du mercure en hiver que son moral est en dessous de zéro ! La fauchée, c'est une prestidigitatrice. Elle maîtrise le jeu des apparences mieux que quiconque. Jamais elle n'aura l'air négligée ! Veste réversible, robe transformable, foulard noué de mille et une façons... Personne ne remarque qu'elle porte les mêmes vêtements des jours durant. Et puis, à force de marcher autant et de transporter son sac à dos, elle est aussi musclée que les accros à la gym !

Son habitat naturel : Les buffets à volonté et les cybercafés (oui, ils existent encore !).

Son meilleur ami : Son hôte du moment.

Ses modèles : Nans et Mouts de *Nus et culottés* et *Rémi sans famille.*

Ses indispensables : Un jean, un T-shirt et un foulard.

Son rêve : Donner au suivant. Recevoir, c'est bien, mais offrir aussi !

Ses destinations : La Thaïlande, le Panama, l'Inde et la Tunisie.

Conseil de pro :

« *Pour vivre une aventure qui sort de l'ordinaire, rien de mieux que de tenter sa chance avec l'échange de services ! À la base réservé aux séjours dans des fermes agricoles biologiques, aujourd'hui, le principe du WWOOFing s'est ouvert à toutes sortes d'opportunités avec des sites comme HelpX ou Workaway. L'idée reste toujours la même : en échange de quelques heures de labeur par jour, le gîte et le couvert vous sont offerts. On n'a pas trouvé mieux pour s'immerger dans la culture et faire des rencontres authentiques avec des locaux – tout ça sans dépenser un sou ! Atterrir dans une auberge de jeunesse écologique perdue au cœur de la jungle tropicale hawaïenne, à mille lieues de la carte postale des plages paradisiaques, c'est aussi ça sortir de sa zone de confort !* »

Claire Green, 26 ans,
blogueuse voyage, thegreengeekette.fr

La caméléon

Signes distinctifs :

☐ S'habille comme les femmes du pays.

☐ Prend ses douches à l'eau froide.

☐ Est abonnée aux intoxications alimentaires.

☐ Prend les accents des lieux qu'elle visite.

☐ Porte souvent des tresses.

☐ Change de religion comme d'autres de chemise.

Voyager, c'est s'intégrer. Ça passe d'abord par le look. D'accord, une grande blonde n'aura jamais l'air d'une Sénégalaise. Mais elle peut, elle aussi, se faire tailler des ensembles sur mesure dans des tissus à l'effigie du président, pardi !

Avant de se rendre quelque part, elle s'assure de pouvoir maîtriser quelques formules de politesse locales. Dans les pays francophones, il lui suffit d'une demi-journée pour que son accent et ses intonations se calquent sur celui de ses interlocuteurs. En cas de doute sur ses origines, il suffit de la faire sortir de ses gonds. Une Québécoise risque de lâcher un « tabarnak » bien senti même si elle parlait de « W.-C. » ou de « sopalin » – termes JAMAIS utilisés au pays de Gilles Vigneault – la minute précédente.

La caméléon n'aime pas qu'on lui fasse remarquer qu'elle détonne dans le paysage local. Après tout, elle travaille tellement fort à son intégration ! Elle mange du *pho*, soupe traditionnelle au Vietnam, au petit déjeuner et du cochon d'Inde au Pérou, même s'il lui rappelle Fripouille, le fidèle compagnon de son enfance. Et ce n'est certainement pas la pâleur de sa peau qui va l'empêcher de revêtir un boubou ! Elle ne refuse jamais une invitation à prendre le thé ou tout autre boisson traditionnelle, ce qui lui cause régulièrement de charmantes péripéties gastro-intestinales. Abdiquer serait toutefois reconnaître qu'elle est comme tous les « toubabs » douillets de la Terre. Non, elle, elle est différente !

Son habitat naturel : Sous un baobab.

Son meilleur ami : Le médecin du village.

Ses modèles : Nelson Mandela et les Câlinours[3].

Ses indispensables : Sachets d'électrolytes ou autres pansements gastriques et anti-diarrhéiques.

Son rêve : Créer sa propre ONG. Il lui reste maintenant à choisir une cause !

Ses destinations : La Bolivie, le Cambodge et la Namibie.

---

3 Bisounours, pour nos lectrices françaises.

Conseils de pro :

« Quand j'arrive dans un pays, la première fois que je sors, je mets trop de vêtements plutôt que pas assez, et je reste très discrète. En général, j'observe comment les femmes sont habillées. Vêtements courts ou longs ? Couleurs sobres ou vives ? Cheveux au vent ou attachés ? Lors de ma deuxième sortie, je peux ainsi m'adapter : garder mon style, mais être en accord avec les mœurs de l'endroit, histoire de me fondre dans la foule. Et attention, cela ne s'applique pas seulement aux pays musulmans ou bouddhistes. On peut parfois avoir des surprises ! Par exemple, à Mexico, malgré la chaleur, j'ai remarqué (et on me l'a confirmé par la suite) que les gens ne portent en ville pratiquement pas de vêtements courts ou de sandales puisque ce type de vêtements est réservé aux vacances ou à la plage. »

Véronique Leduc, 32 ans, journaliste voyage et blogueuse, mtlinstantane.com, cariboumag.com, et blogues.guidesulysse.com/copines-en-cavale/

« J'ai vécu un nombre incalculable d'expériences d'immersion dans différents pays. Plusieurs lecteurs m'écrivent pour savoir comment j'arrive à interagir avec la population locale. J'offre le même conseil à tous, hommes ou femmes, pour arriver à aller plus loin : habillez-vous convenablement, observez tout et posez des questions. »

Jodi Ettenberg, 35 ans, blogueuse voyage, auteure, guide et consultante, legalnomads.com

Miss cocktails des îles

Signes distinctifs :

☐ Abonnée à la formule « tout compris ».

☐ Toujours un cocktail coloré à la main.

☐ Ne dit jamais non à une fête.

☐ Préfère les tongs aux talons hauts.

☐ Se badigeonne d'huile solaire.

☐ Ne fait pas trop la différence entre le soir et le matin.

À la maison, elle est plutôt sage. Mais dès que les vacances se pointent, elle se transforme en émule de Bridget Jones. Ses couleurs ? Non, ce n'est pas qu'à cause du soleil. Sitôt arrivée sous les tropiques, elle relâche la pression d'un coup. Sa réserve et sa modération ? Restées de l'autre côté des douanes. Le thème de son séjour : tongs, cocktails et bronzette. Elle a bien le droit, non ? Après tout, elle travaille si fort le reste de l'année ! Qu'elle parte seule ou avec une bande de copines, elle se lie rapidement avec ceux de sa race une fois sur place.

Son côté Bridget Jones lui fait parfois faire quelques gaffes, remarquez. Comme la fois où elle a confondu le Tabasco avec le ketchup au Mexique. Ou quand sa longue chevelure a pris feu lors d'une tournée de Sambuca qu'elle avait décidé de faire elle-même flamber… Entre la théorie et la pratique, elle s'égare parfois.

Son itinéraire se résume assez facilement : bar de la piscine, bar du lobby, discothèque, bar sportif, mini-bar de sa chambre… Avec, de temps en temps, des « pauses transat », histoire de s'assurer un bronzage homogène. Un hâle bien doré fait bien plus d'envieux qu'un diamant quand le mercure s'obstine à dégringoler !
Excessive ? Peut-être. Mais à quoi bon le lui rappeler ? Elle a déjà oublié ses abus de la veille… Hic !

Son habitat naturel : Le bar de la piscine.

Son meilleur ami : Le barman de la piscine.

Ses modèles : James Bond et les « James Bond Girls ».

Ses indispensables : Pepto-Bismol, acétaminophène et Gatorade.

Son rêve : La découverte d'une pilule anti-gueule de bois.

Ses destinations : La République dominicaine, Cuba et Puerto Rico.

Conseil de pro :

« Je propose la fameuse méthode de l'alternance : un verre de "drink", un verre d'eau. Simple comme bonjour, elle favorise l'hydratation, minimise le lendemain de veille atroce et diminue de moitié votre apport calorique. »

**Catherine Lefebvre, 32 ans, nutritionniste,
auteure et journaliste voyage, catlefebvre.com**

La chef de tribu

Signes distinctifs :

☐ Se déplace en groupe.

☐ Semble avoir autant de bras qu'une pieuvre des tentacules.

☐ Cernes aussi profonds que le Grand Canyon.

☐ Capable de changer une couche à l'arrière d'un bus comme en pleine jungle.

☐ Reine du multitâche.

☐ Peut compter sur son loyal compagnon.

Avec l'arrivée des enfants, la chef de tribu a découvert qu'elle pouvait à la fois trimballer des sacs remplis de victuailles et un gamin endormi pendant l'opération « ravitaillement », tout en convaincant deux loupiots en pleine crise du « non » que rentrer à pied sera aussi excitant qu'une visite à Disneyland (pourquoi ne pas avoir pris la voiture, déjà ?).

Le voyage, pour elle, est synonyme de bon temps en famille. Elle préférera toujours louer une maison avec Mamie, Papi, les frères, les sœurs, les cousins et les trois chiens, plutôt que de s'offrir cette retraite de yoga dont elle rêve secrètement. Les matinées de vacances ne se font plus « grasses » depuis longtemps, mais qu'est-ce que deux ou trois heures de sommeil perdues en comparaison de tous ces bisous baveux dont on la couvre avant même le chant du coq ? Non, elle n'abandonne pas l'idée de faire le tour du monde avec la marmaille. Mais d'ici là, ses poulets auront des dents.

Son habitat naturel : Une grande maison au bord de la mer avec toute la smala.

Son meilleur ami : Le glacier le plus proche. Tant qu'à s'acheter la paix, autant que ça coûte le moins de pas possible.

Ses modèles : Brad et Angelina (et les nounous avec lesquelles ils voyagent constamment).

Ses indispensables : Des pansements Hello Kitty, des médicaments destinés à soigner tant une égratignure que la grippe aviaire (ou presque) et une sacrée dose d'humour.

Son rêve : Emprunter les nounous de Brad et Angie lors des prochaines vacances.

Ses destinations : Le Costa Rica, l'Équateur, le Maroc et la côte est américaine.

Conseils de pro :

« *Chers parents voyageurs : baissez la barre de vos exigences et de vos attentes ! Évitez de trop charger les horaires et de multiplier les déplacements. Il vous arrivera de ne pas pouvoir vous rendre à l'endroit rêvé sur-le-champ parce que le petit dort, ou de devoir visiter la clinique du coin pour faire soigner les boutons de votre fille.*

Si vous voyagez avec votre conjoint, osez vous séparer de temps en temps, puisque chaque enfant n'a pas nécessairement les mêmes centres d'intérêts (ou sautes d'humeur !). Tentez malgré tout de vous préparer le plus possible avant le départ… Tout en restant flexible. C'est la clé.

Connaître le resto du coin qui apprécie la présence des bambins peut vous permettre de rencontrer des familles locales ou d'autres touristes. Questionnez des parents qui ont déjà voyagé dans le pays où vous vous apprêtez à séjourner, et qui pourront vous prodiguer de précieux conseils. Impliquez aussi les petits dans l'organisation ! Tout en offrant à votre clan de merveilleux souvenirs, n'oubliez pas de vous faire plaisir, à vous aussi. »

Isabelle Marjorie Tremblay, 42 ans,
maman de deux enfants, chroniqueuse et animatrice,
isabellemarjorie.com

L'exploratrice urbaine

Signes distinctifs :

☐ Se balade avec un sac messager.

☐ Chaussures plates confortables et stylées.

☐ Vêtements *casual-chic* : confos[4], mais lookés.

☐ Résolument indépendante.

☐ Adore l'art et l'architecture.

☐ Aime se fondre dans l'anonymat des grandes villes.

L'exploratrice urbaine peut passer des heures à arpenter une ville dans ses moindres recoins. Elle dévore les guides, mais s'accorde aussi du temps pour flâner et faire ses propres trouvailles. Son plaisir : dénicher les meilleures adresses. Cafés, restos, boutiques… Elle géolocalise tout grâce à des applications mobiles comme Swarm et note ses impressions dans Foursquare, Yelp, et autres TripAdvisor. Quand elle bourlingue en solo, elle opte pour une place au comptoir dans les restos. Elle en profite pour échanger avec le barman et note ses tuyaux sur le quartier. Elle ne cherche pas spécialement à tisser des liens avec d'autres voyageurs.

---

4 Confortables !

Son plaisir, elle le trouve en visitant musées, monuments et attractions incontournables. Prendre les transports en commun fait partie de ses rituels de voyage. Elle se mêle à la foule, tentant de s'imaginer le quotidien des quidams qu'elle croise. Elle raffole du *street art*, des hôtels boutiques et s'intéresse au design. Son style ? Un habile mélange des différentes modes de rue aperçues au fil de ses pérégrinations.

Son habitat naturel : Au cœur de l'action !

Son meilleur ami : Son téléphone intelligent.

Son modèle : Le rat des villes.

Ses indispensables : Téléphone, batterie et Wi-Fi portables.

Son rêve : Avoir visité au moins 40 capitales avant ses 40 ans.

Ses destinations : Shanghai, Dubaï et New York.

Conseil de pro :

« Rien ne sert de vous éparpiller, explorez à point ! Familiarisez-vous avec votre destination dès votre arrivée à bord d'un bus (ou d'un bateau) de type " Hop-On, Hop-Off *" (hop-on-hop-off-bus. com). Vous repérerez ainsi rapidement les quartiers et les sites qui vous intéressent. »*

Carolyne Parent, 53 ans (« en route vers 32 ! »),
journaliste spécialisée en tourisme, carolyneparent.com

La serial shoppeuse

Signes distinctifs :

☐ Œil de lynx.

☐ Bracelets dépareillés au poignet.

☐ Sait parfaitement doser les touches ethniques et les tenues griffées.

☐ Folle de la mode, mais aime encore plus créer la sienne.

☐ Semble parfois sortir d'un épisode de *Gossip girl* ou de *Sex and the City.*

☐ Porte les escarpins comme d'autres les baskets.

Toutes les raisons sont bonnes pour faire les boutiques. Une micro-tache de sauce sur un pull, un courant d'air soudain, le manque de temps (faire la lessive en voyage alors qu'il y a tant à explorer ? Pas question !), les cadeaux à rapporter...

Grâce à son radar, elle repère LA robe qui l'accompagnera dans tous ses prochains voyages, l'accessoire qui changera tout, les pompes hyper locales qui prendront d'assaut les podiums l'an prochain. C'est qu'elle a du pif, la *serial shoppeuse* ! Elle dépense trop, certes, mais elle met un point d'honneur à ne s'offrir que l'exclusivité. Le truc cool qu'elle ne verra nulle part ailleurs et qui métamorphosera une tenue banale en « *outfit* wow ».

Dans les marchés, elle se transforme en redoutable

négociatrice. Pas question que sa tête d'étrangère lui fasse payer le prix fort ! Pffff ! Elle n'hésite pas à s'inventer des bouches à nourrir ou à lancer son regard le plus enjôleur pour attendrir les commerçants. Quand aucune de ses stratégies ne porte ses fruits, elle fait mine de tourner des talons. À tous les coups, elle repart avec l'objet du désir. Son sac de Touareg déniché à Bamako s'accorde parfaitement avec la longue tunique rapportée du Rajasthan et ses espadrilles de La Manual Alpargatera, *made in Barcelona*. Ses bijoux ? Des bracelets traditionnels portés par les Emberá[5] au Panama, des perles noires de Polynésie, les créations d'une étoile montante du design à Copenhague... Non, franchement, les marques archi-connues et autres Gap de ce monde, c'est pour les filles qui manquent d'originalité et de confiance en elles !

Son habitat naturel : Boutiques, bazars et autres cavernes d'Ali Baba.

Son meilleur ami : Les coiffeurs, qui savent toujours tout.

Ses modèles : Les stylistes des stars, de Rachel Zoe à Kate Young.

Ses indispensables : Ses cartes de crédit, mais aussi de petites coupures dans la monnaie du pays (plus pratique pour négocier).

Son rêve : Devenir styliste à son tour. Ou ouvrir une boutique dans un endroit exotique...

Ses destinations : Hong Kong, Dubaï, Londres, Séoul et New York.

---

5 Tribu indigène du Panama.

Conseils de pro :

« *N'oubliez pas de préparer votre itinéraire shopping avant de partir, afin d'éviter de louper les* it-shops *incontournables. Sachez malgré tout faire place à l'improvisation. Vous pourriez être agréablement surprise par cette échoppe bourrée de petits trésors vintage repérée par hasard.* »

Cindy Laverdière, 34 ans, journaliste mode et beauté et blogueuse, modetrotterblog.com

« *Mon plus grand plaisir en voyage est de dénicher un produit considéré haut de gamme chez moi, mais qui coûte une fraction du prix dans son pays d'origine. Je chéris tous les jours ma couverture en cachemire de l'Himalaya, ma jetée de vigogne d'Argentine, ma robe de soie faite sur mesure par un tailleur thaïlandais et mes pantoufles de mouton d'Uruguay. Les plus belles trouvailles se font sur les marchés et directement chez l'artisan. Dans la plupart des pays, on n'hésite pas à marchander en réduisant parfois de moitié le premier prix demandé. Dans la rue, méfiez-vous des contrefaçons lorsque vous achetez des matières nobles ou des pierres précieuses. Surtout, observez un bon moment avant d'acheter, histoire de bien évaluer la valeur des articles et la personnalité de votre vendeur. Le shopping est un sport stratégique !* »

Nathalie Pelletier, 46 ans, réalisatrice et blogueuse voyage, blogues.guidesulysse.com/copines-en-cavale/

La gourmande

Signes distinctifs :

☐ Ne porte jamais de pantalon trop ajusté à la taille.

☐ Ses yeux s'illuminent dès qu'elle aperçoit une pâtisserie.

☐ Ne peut s'empêcher de photographier ses assiettes.

☐ Aime se donner des missions : où se trouvent les meilleurs éclairs ? La meilleure glace à la pistache ? Le dessert au chocolat le plus décadent ?

☐ Peut manger des pâtes pendant trois jours pour se payer un repas dans LE restaurant gastronomique du moment.

☐ Vendrait sa mère pour une bonne bouteille de vin.

Vous vous rappelez de ces dessins composés de numéros qu'on devait relier pour voir apparaître les formes ? C'est un peu de cette manière que la gourmande conçoit ses itinéraires : en plaçant des X – les adresses gourmandes où elle doit ABSOLUMENT s'arrêter – sur la carte de chacun des quartiers qu'elle visite. Elle pourra toujours sacrifier un musée ou un monument historique, mais passer à côté de la meilleure *gelateria* de Rome, pas question !

La gourmande voyage pour manger. Au fil du temps, elle a développé une foule d'habitudes. Avant un voyage, elle limite les calories. Pendant le séjour, elle maximise la marche et les hôtels avec gym et piscine, histoire de ne pas se priver sans pour autant se transformer en éléphant. Elle choisit ses destinations en fonction de ses envies du moment. Optera-t-elle pour le Pérou, qui fait courir la planète *food* depuis quelques années ? Pour la Turquie, histoire de satisfaire sa rage de loukoums ? Ou pour un pays africain, où la cuisine reste à ses yeux un mystère total ? Peu importe la destination, le plan est toujours le même : s'ouvrir l'esprit en même temps que l'appétit.

Exploratrice culinaire, elle navigue habilement entre les lieux traditionnels et les tendances actuelles. À Taipei, elle ira flâner au marché de nuit de Shilin et goûtera les célèbres soupes et dumplings de Din Tai Fung. À Bangkok, elle dégustera un pad thaï dans la rue, mais s'offrira aussi un moment de grâce chez Nahm, meilleure table d'Asie selon le palmarès des « *50 Best Asia* ».

Son plus grand plaisir restera toutefois de dénicher un boui-boui qui enverra ses papilles au septième ciel et dont personne n'a jamais entendu parler. La surprise comme l'aspect confidentiel décuplent son plaisir !

Son habitat naturel : Les marchés, les épiceries et les restaurants de tout acabit, des classiques aux plus branchés.

Son meilleur ami : Le chef du resto où elle se trouve.

Ses modèles : Les animateurs Anthony Bourdain, Julie Andrieu et Fred Chesneau, alias le Globe-Cooker.

Ses indispensables : De bonnes chaussures de marche ou de course, une carte, du citrate de bétaïne, des anti-acides ou des pansements gastriques.

Ses rêves : Déguster le vin de la Romanée-Conti, en Bourgogne, qui produit seulement 5 000 bouteilles par an. Faire le tour du monde des festivals dédiés à la gastronomie comme le Cancún-Riviera Maya Wine & Food Festival, au Mexique. Prendre part à des événements « de la ferme à la table », façon Outstanding in the Field (**outstandinginthefield.com**), où les convives dégustent les mets préparés par les meilleurs chefs d'une région autour d'une grande table, en plein air, le plus souvent dans un champ. Manger tout ce qui lui chante sans prendre un gramme…

Ses destinations : Singapour, Penang (Malaisie), le Pérou, l'Italie, New York et Bangkok.

Conseils de pro :

« *L'objectif, c'est de ne gaspiller aucune occasion de manger. Je ne prends jamais d'hôtels avec petits déjeuners inclus (trop souvent insipides et plus chers !). Avant de partir, je liste tous les cafés, boutiques, marchés, boulangeries, restaurants où je veux aller. Rendue sur place, je dessine chaque jour mon itinéraire en fonction des endroits qui interpellent mon palais. L'idée, c'est de manger PEU, mais partout. Et quand je sais qu'on me servira un affreux repas (avions, trains, attractions touristiques), j'apporte toujours mon lunch (que j'aurais préalablement acheté dans l'un des lieux de ma liste !). Avec les années, j'ai développé un sixième sens qui me dit, en entrant dans un établissement, si les pâtisseries seront bonnes ou si le resto en vaut la peine. Cultivez le vôtre, écoutez-le et en cas de doute : fuyez !* »

**Katerine-Lune Rollet, 39 ans,
animatrice et communicatrice gourmande,
katerinerollet.com**

« *N'hésitez pas à prendre des cours de cuisine dans différents pays du monde. C'est la meilleure manière de découvrir la culture culinaire en compagnie de locaux, de déguster de bons petits plats et d'impressionner vos amis au retour avec de nouvelles recettes !* »

**Lucie Aidart, 28 ans, blogueuse voyage,
voyagesetvagabondages.com/**

La fleur bleue

Signes distinctifs :

☐ Ne porte pas d'alliance.

☐ Connaît toutes les répliques de *Love Actually* par cœur.

☐ Attentionnée.

☐ Souvent dans la lune.

☐ Soignée, mais pas fardée.

☐ A la larme facile.

Contrairement à la dragueuse en série, la fleur bleue ne cherche pas à séduire à tout prix. C'est plutôt l'amour avec un grand A qu'elle traque dans tous ces regards croisés à la dérobée. Persuadée que l'homme de sa vie se cache dans une contrée exotique, elle s'élance sur les routes du monde comme d'autres s'inscrivent sur des sites de rencontres. En réalité, c'est si simple : elle saura au premier regard. En attendant, elle écume aussi bien les bars que les marchés et les métros à la recherche de l'élu de son cœur.

Bien entendu, elle ne révélera pas l'objet de sa quête à n'importe qui. Qu'elle soit du type « sac au dos » ou « valise à roulettes », elle n'expose pas son côté fleur bleue au cynisme du monde. Un jour, elle leur prouvera à tous qu'ils avaient tort, de toute façon.

Elle a parfois été victime de sa naïveté, remarquez. Comment pouvait-elle savoir qu'en Bulgarie, on dit « oui » avec la tête comme on dit « non » ailleurs en Occident ? Que le charmant Thaïlandais avait en réalité flashé sur son compagnon de route ? Ou que le dieu cubain qui l'a fait danser toute la nuit était plus épris de son passeport que de ses beaux yeux ?

Non, pas simple, l'amour. Sale époque pour les idéalistes ! Tant pis. Elle rira de tout ça en racontant sa rencontre avec l'Homme à ses petits-enfants.

Son habitat naturel : Les cafés.

Son meilleur ami : Le garçon du café, qui sait toujours tout sur tout le monde.

Son modèle : Cyrano de Bergerac (elle s'imagine tout à fait en Roxane).

Ses indispensables : Un carnet d'adresses « *old school* » classées par pays, et un roman de Marc Levy.

Son rêve : Découvrir le reste du monde avec son prince charmant.

Ses destinations : L'Indonésie, l'Italie et la Polynésie française.

Conseils de pro :

« On m'a tant dit de me méfier. De me méfier de tout : des hommes, des sorcières, des plantes dangereuses et des serpents venimeux. Mais pas une fois on ne m'a mise en garde contre l'Amour, contre la grandeur d'Âme. Pour ça aussi, il faut être préparée et je ne l'étais pas. J'ai été foudroyée par la gentillesse, happée par la beauté des regards et l'intensité des sourires. Je crois que c'est ce qui m'a le plus bouleversée : l'humanité.

Lors du départ, j'étais plutôt mal en point et je n'étais pas certaine de ce que le mot "intuition" voulait dire. C'est sur la route que j'ai appris. J'ai appris à m'entendre, à me faire confiance. Et depuis, je l'entraîne et l'aiguise à chaque nouvelle aventure. Elle n'est pas à dompter, cette petite voix à l'intérieur de nous. Elle n'est qu'à suivre. Alors GO : suivez-la ! »

**Sabrina Dumais, 25 ans, étudiante et blogueuse,
jelefaispourmoi.com**

« Encline à la contemplation et la rêverie, vous avez peut-être plus intérêt que quiconque à apprendre à écouter votre intuition et votre sixième sens. Déjà fort sensible de par votre nature, et l'ailleurs nourrissant d'autant plus votre imaginaire, votre romantisme peut parfois vous jouer des tours. Si vous voyagez seule, mieux vaut vous lier à d'autres voyageurs qui vous aideront à vous ancrer dans la réalité et à demeurer vigilante… Vous apprivoisez un ailleurs, pas un conte de fées ! Vos sens étant continuellement mis à vif, misez sur vos capacités d'introspection, avec l'écriture ou la méditation, qui vous aideront à mieux prendre le recul nécessaire à l'absorption d'intenses émotions. »

**Marie-Ève Blanchard, 34 ans,
journaliste et auteure voyage, mawoui.com**

L'éternelle étudiante

Signes distinctifs :

☐ Ne se sépare pas de son sac d'écolière.

☐ Aime porter des nattes.

☐ Transporte toujours un calepin et un crayon.

☐ Possède plusieurs diplômes et certificats en tous genres, tant d'universités reconnues que d'obscurs établissements dont personne n'a jamais entendu parler.

☐ Toujours prête à prendre part à une manifestation revendiquant l'accès à l'éducation.

☐ Songe à faire carrière dans le monde de l'éducation ou de la recherche… À moins qu'elle ne soit déjà prof ?

Les vacances, c'est fait pour apprendre. Énergique, ce n'est pas dans le grand bain du sport qu'elle plonge, mais dans celui de la culture. Son cerveau semble perpétuellement réclamer de nouvelles informations. Elle se jette sur la moindre parcelle de savoir comme la gourmande sur une pâtisserie chocolatée de Jean-Paul Hévin : avec avidité. Elle compte les heures perdues à dormir comme d'autres comptent les calories. Ça la rend dingue !

Plus jeune, elle était une abonnée des programmes

d'échanges : AFS (**afs.org**), Erasmus (**erasmusworld.org**), et autres plus ou moins connus. Pour elle, rien de plus grisant que le doux vertige de l'apprentissage à l'étranger. Pour ses prochaines vacances, son cœur balance entre un séjour linguistique à Florence et un cours de cuisine à Bangkok. Et si elle faisait les deux ? Mieux : tant qu'à y être, elle ira suivre des cours de cuisine en Italie ET des cours de thaï en Thaïlande. Oh ! Et pourquoi pas des leçons de surf au Nicaragua l'an prochain ? Un bon moyen de parfaire son espagnol par la même occasion... À moins qu'elle ne se lance dans la peinture aux îles Marquises, façon Gauguin ? Ou ne découvre la Namibie en compagnie d'un prof de photographie ? Ou... ou... Décidément, il y a beaucoup trop de choses à essayer pour une seule vie.

Son habitat naturel : L'inconnu.

Son meilleur ami : Son prochain prof.

Son modèle : Ce sacré Charlemagne, bien sûr !

Son indispensable : L'application mobile Duolingo pour apprendre une nouvelle langue, peu importe où elle se trouve.

Son rêve : Parler au moins dix langues.

Ses destinations : Le Guatemala, l'Italie, le Sri Lanka... La planète entière, quoi !

Conseil de pro :

« *Prendre des cours lors d'un voyage est une manière exceptionnelle de découvrir une culture, un art ou un savoir-faire. Des communautés comme CouchSurfing offrent des cours gratuits ou des initiations sur leurs forums. Un conseil : sortir un peu des cours et apprendre dans la rue. Quoi de mieux que d'apprendre l'espagnol en négociant des produits sur un marché d'Amérique du Sud ou de faire ses premiers pas de salsa dans un bar au bras d'un beau Colombien ?* »

Lucie Aidart, 28 ans, blogueuse voyage de retour d'un tour du monde, voyagesetvagabondages.com

La Mère Teresa

Signes distinctifs :

☐ Sandales Birkenstock aux pieds.

☐ Ne cherche pas à attirer l'attention.

☐ Peut ressembler à la caméléon par son désir de ne faire qu'une avec son environnement.

☐ A fait des études en droit international ou des études médicales.

☐ Débit de parole lent : on a parfois l'impression qu'elle parle en *slow motion*.

☐ S'intéresse davantage à l'humain qu'aux sites touristiques.

B énévole dans l'âme, elle est toujours prête à donner un coup de main, chez elle comme à l'étranger. Il lui semble impensable de s'élancer sur les routes du monde sans but précis. Elle a tant à apprendre et tant à offrir !

Elle voit le voyage d'abord comme un échange. Une sorte de « troc » de connaissances et d'émotions : je te donne un coup de main, tu m'ouvres la porte de ton univers. Sa religion ? Elle n'en est pas tout à fait certaine. L'important, selon elle, c'est d'avoir la foi, peu importe le nom de son dieu.

Son grand cœur ne l'a toutefois pas toujours bien servie. Elle a toute une collection d'éclopés parmi ses ex : un junkie, un joueur compulsif, un cancéreux, un paraplégique aveugle... Elle voulait les sauver ; ce sont plutôt eux qui se sont sauvés. C'est qu'elle fout des complexes, la Mère Teresa, avec son sourire éternel et son optimisme à toute épreuve ! Pas moyen de se torturer tranquillement à ses côtés : son oreille est toujours prête à accueillir les confidences, même les plus troublantes. On lui annoncerait la fin du monde que son visage resterait impassible. « Tout ira bien », répète-t-elle à tout vent...

En attendant, pas question de rester chez elle les bras croisés. Elle veut faire sa part pour l'humanité !

Son habitat naturel : Les hôpitaux, les cliniques et les centres pour sans-abri.

Ses meilleurs amis : Tous ceux qui ont besoin d'elle !

Ses modèles : Mère Teresa, bien sûr, mais aussi le Dr Lucille Teasdale, célèbre chirurgienne qui a consacré sa vie à soigner des maladies infectieuses comme le sida et la malaria en Ouganda.

Ses indispensables : Une trousse de premiers soins et quelques livres de développement personnel.

Son rêve : Travailler au Centre Mère Teresa à Kolkata (Calcutta) puis, un jour, ouvrir son propre hôpital ou centre de soins en Asie ou en Afrique.

Ses destinations : L'Inde, le Tibet, le Burkina Faso, le Soudan, le Rwanda et le Pérou.

Conseils de pro :

« *Il faut bien se renseigner avant de choisir une mission de bénévolat ou humanitaire, pour connaître les retombées de votre travail, où va l'argent, ce que l'on attend de vous, etc. Prenez le temps de discuter avec votre interlocuteur et de vous mettre d'accord sur les différentes conditions.* »

**Lucie Aidart, 28 ans, blogueuse voyage,
voyagesetvagabondages.com/**

« *Oui, les programmes de jeunes volontaires, c'est bien, mais il y a également une grande demande pour des coopérants avec une bonne expérience de travail et des spécialisations. Le CECI – Centre d'étude et de coopération internationale (ceci.ca) –, par exemple, envoie des centaines de volontaires chaque année sur plusieurs continents. Et de plus en plus d'employeurs appuient ces voyages avec des congés solidaires, alors vous pouvez partir quelques semaines et apporter votre expertise à des projets ciblés, en étant bien encadrée. Vous serez en sécurité, vous travaillerez avec des gens de la place et vous découvrirez votre destination autrement !* »

**Véronick Raymond, 41 ans, artiste et communicatrice
qui a pris part à plusieurs missions humanitaires,
veronickraymond.com**

La fille d'Indiana Jones

Signes distinctifs :

☐ Porte toujours un chapeau.
☐ Sa plus grande peur ? L'ennui !
☐ Amie des animaux.
☐ Curiosité insatiable.
☐ Mordue d'archéologie et d'histoire.
☐ Cherche l'aventure avec un grand A.

Enfant, elle était folle de Mowgli, s'imaginant vivre dans la jungle à ses côtés. Son prince charmant, quelques années plus tard ? Un croisement entre Jack Sparrow (pour la débrouillardise et le sex-appeal) et Tarzan (pour la sobriété, dans tous les sens du terme – y compris vestimentaire).

Sa prochaine destination ? Celle dont personne n'a jamais entendu parler. Les sentiers, c'est elle qui les ouvre. Bon, d'accord, elle ne trimballe peut-être pas machette et revolver comme le personnage de Spielberg, mais elle refuse d'opter pour la facilité, préférant les détours hasardeux, seule ou accompagnée.

Elle est persuadée de faire partie d'une élite mondiale d'aventuriers sans peur et sans reproche, façon chevaliers 2.0. Munie de son iPhone, elle blogue les bestioles qui se trouvent sur son chemin dès qu'elle parvient à trouver un signal Wi-Fi. Non mais avez-vous déjà vu une araignée AUSSI GROSSE ? Et que dire de cette fourmi panda aperçue au Chili ou de ce crabe des cocotiers, plus grand arthropode terrestre au monde, découvert lors d'une excursion au Vanuatu ? Elle l'a même filmé en train de casser une noix de coco !

Elle fait de même avec les bébêtes qui se retrouvent dans son assiette, partageant, du coup, ses découvertes culinaires à base de grillons, de scarabées, de criquets et de termites (elle avoue un penchant pour ces derniers, à cause de leur goût mentholé).

Ses applications mobiles favorites ? Boussole, lampe torche et Instagram, pour documenter ses expéditions.

En fait, on voudrait toutes être cette fille, aussi à l'aise à dos de cheval dans les steppes qu'à pied au sommet d'une montagne. Mais très peu d'entre nous peuvent prétendre lui ressembler vraiment !

Son habitat naturel : Les lieux où personne ne va.

Ses meilleurs amis : Les singes, les coatis et autres animaux de la jungle.

Ses modèles : Baloo pour la bonne humeur, Indiana Jones pour le sang-froid, Esteban, Tao et Zia des *Cités d'or* pour l'exploration, et la scientifique Jane Goodall, qui a vécu seule parmi les chimpanzés en Afrique dans les années 1960, pour la passion.

Ses indispensables : Jumelles, comprimés pour assainir l'eau, couteau suisse, chargeur solaire pour iPhone.

Son rêve : Participer à une découverte historique (et rencontrer Mowgli.)

Ses destinations : L'Antarctique, l'archipel des Chagos, les îles Salomon, Bornéo et les Philippines.

Conseil de pro :

« *Le plus dur, c'est le premier pas. Celui qui vous emmène vers l'inconnu : mordre dans un insecte, sauter d'une falaise en parapente, nager avec des requins… ou partir seule en voyage. C'est le premier pas (ou la première bouchée) qui demande le plus gros effort. Pour vous rassurer, n'oubliez pas que d'autres l'ont fait avant vous… et sont toujours vivants ! Par contre, "ce que le local ne fait pas, tu t'abstiendras !" D'abord, observer avant de se jeter à l'eau. Une façon de vivre des aventures en voyage tout en gardant un certain sens des réalités.* »

**Amandine Legrand, 30 ans, psychologue,
reporter et blogueuse voyage, unsacsurledos.com**

La première de la classe

Signes distinctifs :

☐ Porte des lunettes.

☐ S'assoit toujours au premier rang.

☐ A gardé l'habitude de lever la main dès qu'elle a quelque chose à dire.

☐ Peut situer toutes les capitales du monde sur une carte.

☐ Donne toujours son 100 %.

☐ Ne supporte pas l'échec.

La planification d'un voyage, c'est du sérieux. D'abord, il y a le choix de la destination. Pour parvenir à trouver l'endroit parfait où poser sa valise, elle s'est livrée à une foule de tableaux comparatifs compliqués incluant la température, la quantité de pluie tombée à la période de l'année où elle a l'intention de s'y rendre, ainsi que le nombre de meurtres des dix dernières années. Elle a ensuite éliminé certaines destinations à cause du risque élevé d'attraper la malaria ainsi que le nombre d'espèces animales venimeuses recensées. Partir, oui, mais pas question de laisser quoi que ce soit au hasard !

Elle se plaît à dire qu'elle n'a pas de mauvaises habitudes. Elle n'arrive jamais en retard. Ses vaccins sont à jour. Elle mange bien, ne fume pas, boit modérément et dort huit heures par nuit. Elle prévoit l'imprévisible, ayant toujours au minimum des plans B, C, D et E. Son seul vice est en fait... de ne pas en avoir. Quand elle hésite entre deux destinations, la première de la classe les évalue selon leur « potentiel intellectuel ». Les villes comptant de nombreux musées et des sites historiques millénaires partent avec une longueur d'avance. Dans sa valise, tout est classé, rangé et emballé sous vide. Elle aime avoir le contrôle jusque dans les moindres détails. L'adage « mieux vaut être seule que mal accompagnée » en tête, elle ne se lie pas facilement d'amitié avec les autres voyageurs. À moins que ce ne soit les autres voyageurs qui n'aient pas forcément envie de se lier avec elle ?...

Son habitat naturel : Les climats tempérés. Les extrêmes, très peu pour elle.

Son meilleur ami : Son agenda.

Ses modèles (inconscients) : Lisa Simpson et le Schtroumpf à lunettes.

Ses indispensables : Des sacs de rangement lui permettant de bien classer ses bagages, des comprimés pour combattre toutes les maladies imaginables (et encore plus), des vêtements et chaussures parfaitement adaptés à chaque destination.

Son rêve : Ressembler davantage à la fille d'Indiana Jones et autres aventurières qu'elle croise parfois sur la route. Mais elle ne l'admettra jamais à voix haute...

Ses destinations : L'Afrique du Sud, le Danemark, l'Écosse, Londres, la Norvège et la Suède.

Conseils de pro :

« *Depuis toujours, vous passez vos semaines à bûcher très fort, à boire avec beaucoup (trop) de modération et à éviter les sorties entre amis pour obtenir des résultats fracassants et ainsi conserver ce titre de "plus-que-parfaite". Vous avez du mal à faire quoi que ce soit sans évaluation ? Voici vos devoirs de voyage, avec le nombre de points maximal potentiel.*

1. Tenir une conversation de plus de 20 minutes avec un "local". Si vous vous trouvez dans un pays francophone, intégrez au moins 5 expressions propres à la région au cours de cette conversation. (20 points)

2. Établir le Top 3 "testé et approuvé" des meilleurs remèdes antigueule de bois propres au pays. (30 points)

3. Apprendre par cœur et chanter a cappella au moins une chanson populaire dans ce pays au moment de la visite. Le karaoké est l'endroit tout indiqué pour y arriver en une, deux ou cinq soirées. (20 points)

4. Prendre (et publier sur les réseaux sociaux) au moins 5 "selfies", mettant aussi en vedette des habitants du pays. (30 points)

5. Points bonus : Faire une étude scientifique auprès d'un échantillon d'au moins 5 hommes pour déterminer la "cote d'embrassabilité" du pays. À force de voyager, vous finirez par avoir une analyse internationale digne d'un doctorat honoris causa *!*

Surtout : amusez-vous plutôt que de toujours tout calculer ! »

Karine Charbonneau, 37 ans,
directrice nouveaux médias et blogueuse voyage,
blogues.guidesulysse.com/copines-en-cavale/

La dragueuse en série

Signes distinctifs :

- ☐ Toujours prête à attaquer.
- ☐ Regard qui tue.
- ☐ Démarche assurée.
- ☐ Toujours une phrase d'approche adaptée à chaque situation.
- ☐ Dotée d'un grand sens de la repartie.
- ☐ Capable d'allier humour et mystère.

La liste des pays dont elle a foulé le sol ? Aucun intérêt. Dans ses carnets de bord, elle tient plutôt le registre des nations dont elle a goûté la « cuisine locale », sur place ou ailleurs. Elle n'a que faire des mecs de son coin de pays. Elle préfère de loin les épices et les couleurs.

Ses destinations, elle les choisit selon ses envies du moment. Un blondinet scandinave ou un latino basané ? Le baratin à l'italienne ou l'assurance « alpha » des Argentins ? Tordre le cou aux clichés anatomiques ? Voilà le genre de mission qu'elle aime se donner.

Elle ne connaît peut-être pas les us et coutumes liés à la drague de tous les coins du monde, mais sait d'instinct les limites à ne pas dépasser. Au Sénégal, elle attend qu'on l'aborde. Prendre les devants risquerait de faire fuir sa proie. Au Québec, si elle adopte la même stratégie, elle risque une peine similaire à celle de la Belle au bois dormant : cent longues années dans le coma avant qu'un seul spécimen daigne l'embrasser.

Et l'amour dans tout ça ? Ça viendra. Pour le moment, elle n'a pas que ça à faire !

Son habitat naturel : Les boîtes de nuit.

Son meilleur ami : Tinder, l'application mobile qui permet de repérer facilement les beaux spécimens qui se trouvent dans les parages.

Son modèle : Emmanuelle, reine du *soft porn* des années 1970.

Ses indispensables : iPhone et préservatifs.

Son rêve : Le tour du monde en 80 mecs.

Ses destinations : L'Argentine, le Brésil et l'Espagne.

Conseils de pro :

« *Un seul regard et pouf ! Magie. Tout coule tellement plus facilement qu'à la maison. Il faut donc profiter pleinement du moment présent. Un point, c'est tout. Quand on part, on passe au suivant et puis, basta. Je ne dis pas de ne pas garder contact, mais il faut être prudente. Aussitôt que ça devient un tout petit peu lourd, ouste ! Et on planifie un prochain voyage !* »

**Catherine Lefebvre, 32 ans, nutritionniste,
auteure et journaliste voyage, catlefebvre.com**

« *Pour les longues escales à l'aéroport, téléchargez Tinder, ajustez les paramètres à moins de 1 km, puis donnez rendez-vous à votre premier* match *devant l'étagère de Pringles au Duty Free. Si ça part en couilles, faites semblant que vous allez manquer l'avion et partez en courant.* »

Tamy Emma Pepin, 30 ans, animatrice, tamy.urbania.ca

La bobo

Signes distinctifs :

☐ Déteste le bling-bling.
☐ Préfère la kombucha[6] au café.
☐ Le noir domine sa garde-robe.
☐ Conduit une BMWi3.
☐ Déteste les étiquettes.
☐ Ne boit que des vins « nature ».

Pendant que ses copines carriéristes se gargarisent de leurs réussites, la bobo cultive son « chaos intérieur » à grands coups de concerts pop-rock-néo-funk, de cours de capoeira, de trapèze et de mandarin. Bien sûr qu'elle a du succès elle aussi ! Mais elle semble au-dessus des considérations pécuniaires. Le fric, c'est bon d'en profiter, pas de le montrer.

Elle craque pour les hôtels-boutiques à la déco unique, les lieux de *glamping* insolites qui permettent de vivre de vraies expériences et la cuisine de rue haut de gamme. Elle a un flair incomparable pour détecter le beau et le bon, et une aversion profonde pour l'étalage et la mise en scène de soi.

---

6 Thé fermenté ou « boisson vivante » très en vogue depuis quelques années.

Le luxe, elle n'a pas besoin de l'afficher : elle l'a dans la peau.

Peu de choses l'impressionnent. Les « vrais » aventuriers lui font en revanche réaliser qu'elle est plus douillette qu'elle aime à le croire.

Soyons honnêtes : bien qu'elle clame avoir adoré *Into the Wild*, elle n'a de sauvage que son sac à main en fourrure recyclée chiné lors d'une escapade en sol canadien. Le conformisme l'ennuie profondément, mais elle se rend compte qu'elle tombe parfois malgré elle dans les mêmes pièges que ses parents, plus bourgeois que bohèmes. Voyager autrement, oui, mais quand on peut dormir dans des draps de coton égyptien, c'est mieux.

Robin des Bois ou princesse au petit pois ? Plutôt un cygne qui se cache sous des airs de vilain petit canard.

Son habitat naturel : Les sentiers battus qui n'en ont pas l'air.

Son meilleur ami : L'influenceur qui affiche un *Score Klout*[7] de plus de 70.

Ses modèles : Les *people* de jadis, qu'elle n'hésite pas à citer quand le contexte s'y prête.

Ses indispensables : Ses verres fumés.

Son rêve : Passer une nuit dans un campement luxueux en plein cœur de la savane africaine.

Ses destinations : Abou Dabi, l'Afrique du Sud, l'Argentine, Israël et le Portugal.

---

7 Site qui permet de calculer le niveau d'influence d'un individu grâce à des algorithmes complexes, en utilisant les données de différents réseaux sociaux.

Conseils de pro :

« *Visiter un lieu c'est bien, trouver l'adresse parfaite qui enchantera un voyage c'est mieux ! Lasse des soi-disant lieux "incontournables" mille fois répétés, je pars avant chaque périple à la recherche de l'adresse qui fera – vraiment – la saveur de mon voyage. Quand je vais voir les séquoias en Californie, je veux dormir dans un chalet douillet au milieu des bois et voir les arbres depuis mon lit. Quand je vais visiter les monastères peints en Roumanie, je pose mon sac dans une magnifique ferme traditionnelle retapée. À Hambourg, je ne passe pas à côté de la petite auberge branchée où on peut s'asseoir (confortablement, si, si) dans des brouettes avec peau de mouton. Au Texas ? J'ai un plan pour dormir dans un village fantôme chez une hippie, dans une maison avec une vue magnifique sur le désert… Pour trouver les meilleures adresses, les perles, les expériences cool, j'écume les sites d'hôtels design, Airbnb, Google, les guides, et, bien sûr – c'est souvent là que je trouve ! –, les bonnes adresses sur les blogues. Je les partage ensuite moi-même : la boucle est bouclée.* »

**Julie Sarperi, 34 ans, directrice artistique
et blogueuse voyage,
carnets-de-traverse.com**

« *Je mets toujours quelques essentiels dans ma valise pour simuler un voyage de luxe, même dans les pires conditions :*
– une bougie parfumée de voyage et son briquet : élimine toute odeur du locataire précédent, crée une ambiance feutrée et peut même dépanner en cas de souper tête-à-tête inattendu ;
– un limonadier : pour être en mesure d'ouvrir une bouteille de vin en toute occasion, que ce soit une bouteille de vin blanc bue illégalement avec un lobster roll *sur une plage dans le Maine, ou une bouteille de rouge avec des petites charcuteries dans un parc en Espagne ;*
– une chic tasse isotherme (pas le modèle Tim Hortons là !), avec une variété de thés ou de tisanes à siroter en me baladant et éviter d'avoir à payer 15 $ pour un allongé qui deviendra froid en deux secondes. Peut aussi servir à boire le vin avec le limonadier. »

**Marika Lapointe, 34 ans, rédactrice en chef adjointe,
louloumagazine.com**

La hippie chic

Signes distinctifs :

☐ Toujours un smoothie vert à la main.

☐ Ne quitte pas ses vêtements de yoga.

☐ Teint éclatant.

☐ Préfère être pieds nus.

☐ Distribue les « *Namaste !* » comme d'autres lancent des confettis.

☐ Laisse une trace olfactive rappelant une destination exotique, même en plein hiver montréalais.

Non, l'objectif de la brindille que vous voyez se contorsionner sur la plage n'est pas d'auditionner pour le Cirque du Soleil. C'est plutôt avec son yin et son yang qu'elle prend plaisir à jongler.

Adepte de cures en tous genres, elle garde la forme grâce au Pilates, au *stand-up paddle* (SUP) et au yoga. Elle grignote des feuilles de kale avec la même avidité que s'il s'agissait de chips Doritos. Elle prend soin de son Chi et raffole des graines de chia. Il y a longtemps qu'elle a troqué la bière pour l'eau de coco bien fraîche ! Son idée d'un voyage réussi ? Méditation au petit matin, repas crus, thé « griffé » et longues discussions sur le sens de la vie avec des locaux, même si elle ne maîtrise pas leur langue. Car au final, tout est une question d'énergie !

Son habitat naturel : N'importe quel espace suffisamment grand pour étendre son tapis de yoga. Évidemment, rien ne remplace un ashram. À part, peut-être, un centre de bien-être arborant plusieurs étoiles sur son enseigne...

Ses meilleurs amis : Tous ceux qui répondent à ses *Namaste !*

Ses modèles : Gwyneth Paltrow, Bouddha, Siddhartha et Kung Fu Panda.

Ses indispensables : Tapis de yoga de voyage, probiotiques et charbon activé.

Son rêve : La paix dans le monde et l'abolition du gluten.

Ses destinations : L'Arizona, Bali, l'Australie, les Bahamas et Hawaï.

Conseils de pro :

« *Une hippie chic n'enregistre jamais sa valise dans la soute. C'est bon pour les nunuches mal organisées ! Ayez toujours un pantalon de yoga gainant noir lustré, un haut siglé "peace and love" faussement usé et un bandeau à mettre sur le front pour les séances de méditation sur la plage. En mode cocktail piscine, une longue tunique à broderies orientales, des sandales plates ornées de pierreries et une cargaison de bijoux dénichés aux quatre coins du monde (vous pourrez ainsi raconter l'histoire de ce créateur confidentiel que vous avez découvert dans les souks de Marrakech). Pour le reste, pensez noir (pour faciliter les agencements) et accessoires de couleurs bariolées aux motifs ethniques et tribaux chics. Pour les soirées, un sac griffé, évidemment, mais pas trop connu non plus. Le sac du créateur émergent. En format de voyage, un parfum qui invite à l'exotisme : jasmin, bois de oud, santal… Un vaporisateur texturisant pour une crinière coiffée décoiffée et des pieds parfaitement pédicurés avec un vernis corail. Les mains sont naturelles. Et les poignets débordent de bracelets holistiques aux propriétés énergétiques qui boostent votre beauté intérieure et rééquilibrent vos chakras. Souvenirs de vos retraites* wellness *à travers le monde !* »

**Judith Ritchie, 35 ans,
journaliste beauté et bien-être, joliesoul.com**

Voyager
sans tracas

Comment choisir sa destination ?

Plusieurs facteurs influencent le choix d'une destination :
le prix du voyage, la durée du séjour, la saison, le rêve...
Comment arriver à se décider ? Quelques pistes pour vous
aider à y voir plus clair.

⇨ **Destination(s)** : Avez-vous déjà une ou des
destinations en tête, ou êtes-vous ouverte à toutes les
propositions ?

⇨ **Durée** : Combien de temps comptez-vous partir,
jour de départ compris ?

⇨ **Période/saison** : À quelle période de l'année
souhaitez-vous partir ? Voyagerez-vous pendant les vacances
scolaires ? Quel temps fait-il sur place ?

⇨ **Raisons :** Quelles sont les principales raisons qui vous
poussent à voyager, vos motivations (intérêts et passions) et
vos priorités ?

⇨ **Vos goûts :** Qu'est-ce qui vous fait vibrer en voyage et
qu'est-ce que vous souhaitez expérimenter ?

⇨ **Ce que vous n'aimez pas** : Qu'est-ce que vous
n'aimez pas en voyage et que vous souhaitez éviter ?

⇨ **Niveau d'aventure** : Êtes-vous prête à sortir des
sentiers battus OU préférez-vous suivre un itinéraire plus
traditionnel et balisé ?

⇨ **Rythme** : Quel rythme souhaitez-vous pour ce voyage : le même que d'habitude ou plus lent avec des journées libres ? Rester plus longtemps à un même endroit, ou en voir le plus possible ?

⇨ **Expérience de voyage** : Quels lieux avez-vous déjà visités ? Quelles formules de voyage avez-vous expérimentées ? Quelles sont vos expériences les plus mémorables ?

⇨ **Moyens de transport sur place** : Privilégiez-vous les transports en commun ? La location d'une voiture ? Les services d'un guide-chauffeur ?

⇨ **Type d'hébergement** : Quel type d'hébergement correspond le mieux à votre style de vie et à votre budget ? Quel niveau de confort recherchez-vous ?

⇨ **Contraintes** : Avez-vous des contraintes physiques ou psychologiques qui pourraient vous empêcher de choisir une destination ou une formule voyage ?

⇨ **Budget** : Avez-vous un budget en tête (incluant votre vol international) pour ce voyage ?

⇨ **État d'esprit** : Êtes-vous complètement lessivée ou prête à gravir les plus hautes montagnes ? Avez-vous envie de faire la fête ou de dormir 12 heures par jour ?

Une fois que vous aurez répondu à ce petit questionnaire, vous pourrez vous tourner vers un professionnel du voyage ou poursuivre votre recherche en consultant différentes ressources, notamment le site **Où et Quand partir ?** (**quandpartir.com**).

5 façons de se renseigner

Guides de voyages : Une foule d'ouvrages de référence sont disponibles pour vous aider à faire un choix. Mais avoir accès à autant d'informations générales peut engendrer l'effet inverse : vous saurez encore moins où donner de la tête ! Assurez-vous que les informations trouvées semblent correspondre à l'ambiance que vous recherchez.

Blogues et réseaux sociaux : Cherchez à tisser des liens avant même d'avoir quitté la maison. Discutez avec des femmes qui ont déjà voyagé. Prenez note de leurs conseils, astuces, bonnes adresses, et planifiez une rencontre une fois sur place, si possible.

Associations de femmes : Les clubs et organisations d'expatriées établies dans le lieu que vous souhaitez visiter constituent une excellente source de conseils. Vous pourrez peut-être même en croiser sur la route !

Site web du ministère des Affaires étrangères de votre pays : La page « Conseils et Avertissements » du ministère des Affaires étrangères de votre pays vous fournit aussi une foule d'informations officielles, par pays, pour les voyageuses à l'étranger.

Service de consultation voyage : Selon l'expérience de voyage des conseillers, certaines agences de voyages proposent un service de consultation voyage personnalisé pour plusieurs destinations. Ce moment passé ensemble vous permettra de vous sentir bien préparée quant à votre itinéraire et de récupérer des contacts significatifs sur place ressemblant au style de voyage souhaité. Le taux horaire moyen s'élève à 100 €/150 $CAD de l'heure + taxes. Suivant le nombre de destinations, vous pourriez profiter de leurs services pour deux, trois heures en moyenne.

Astuce

Le Web pour éviter de faire la queue !

Attendre pendant des heures ? Pas question, votre temps est trop précieux ! Des sites comme **GetYourGuide.fr** permettent de se procurer en ligne des billets pour une foule de musées, d'attractions, de croisières fluviales, de « *city pass* » (qui incluent généralement les transports publics et certaines entrées de musées) et même de transferts partagés vers l'aéroport. Sachez par ailleurs qu'il est généralement possible d'acheter en ligne des billets pour les sites touristiques les plus populaires directement sur leur site web. C'est le cas par exemple de la Sagrada Família, à Barcelone. **Info : getyourguide.fr, sagradafamilia.cat**

Santé « 101 » [8]

Bien que les conseillers en voyages soient généralement en mesure de vous faire des recommandations de base, par exemple à propos de l'eau, de l'hygiène et de la nourriture, ils n'ont pas la prétention de tout connaître en matière de santé. Consulter un médecin spécialisé en santé du voyageur vous permettra de savoir quoi mettre dans votre trousse de premiers soins, quels médicaments emporter et quels vaccins sont recommandés.

VRAI OU FAUX ?

Mythes et réalités, décryptés par le Dr Lucie Bissonnette, spécialiste en médecine familiale depuis 27 ans et détentrice d'une certification en santé voyage de l'International Society of Travel Medicine (ISTM) en 2007.

1- Comme le virus de la grippe, la plupart des épidémies de tous types se déplacent (selon les saisons, les destinations, l'altitude, ou si vous vous trouvez près d'un cours d'eau stagnant…).

VRAI. À chaque départ, il est important de s'informer de l'évolution de certaines épidémies.

---

8 En Amérique du nord, « 101 » désigne un cours d'introduction. Pour la France, on dira B-A, BA.

2- Le vaccin (en deux doses) contre l'encéphalite japonaise est nécessaire pour tous les voyageurs qui se rendent en Asie.

FAUX. Il vous sera fortement recommandé si vous séjournez en région rurale pendant plus de trois semaines et ce, dans certains pays seulement.

3- L'efficacité de comprimés contre le paludisme varie selon la souche du pays ou de la zone affectée.

VRAI. Les souches résistantes au paludisme varient selon les pays et les zones affectées. Il est donc primordial de consulter un médecin en santé du voyageur ayant accès à une information à jour.

4- Il n'y a pas de frais de consultation pour recevoir des conseils de médecins ou d'infirmières des cliniques en santé du voyageur.

FAUX. Les tarifs varient de 35 à 100 €/50 à 150 $CDN, avant de recevoir tout conseil. À ce montant, s'ajoute le coût des éventuels vaccins nécessaires, qui varie de 25 à 150 €/35 à 220 $CDN par vaccin. Contactez une clinique spécialisée pour obtenir plus d'informations.

5- Les vaccins obligatoires sont très rares.

VRAI. La plupart des pays ne demandent aucune preuve de vaccination pour entrer sur leur territoire. En revanche, plusieurs pays d'Afrique et certains d'Amérique du Sud l'exigent et ce, que vous ayez voyagé ou non auparavant dans une des zones infectées par la fièvre jaune (par exemple, si vous arrivez du Kenya et que vous vous dirigez vers la Tanzanie, ou bien en provenance du Pérou vers la Bolivie).

6- Il existe un vaccin contre la fièvre dengue.

FAUX. À ce jour, il n'existe pas de vaccination vous protégeant de la fièvre dengue. C'est pourquoi il est recommandé de se protéger contre les moustiques, qui transmettent le virus, en se couvrant et/ou en utilisant un bon anti-moustique.

7- Les trois injections combinées pour l'hépatite A et B vous protègent maintenant à vie, sauf exception suivant votre état de santé.

VRAI pour l'hépatite B, mais **FAUX** pour l'hépatite A, qui vous protège seulement pour une période de 20 ans.

8- Il existe plusieurs formules pour vous protéger contre la fièvre typhoïde, courante dans les pays en développement, où les conditions de salubrité et d'hygiène sont déficientes.

VRAI. En injection ou en comprimés, pour une protection d'une période de 3 à 7 ans, selon les laboratoires pharmaceutiques.

9- Le vaccin contre la rage (en trois doses) vous protège complètement en cas de morsure.

FAUX. Si vous vous faites mordre par un animal ou un humain, et que vous avez été vaccinée contre la rage, vous devrez quand même vous rendre dans un hôpital, mais vous aurez plus de temps pour le faire et n'aurez pas besoin de recevoir d'immunoglobulines. Les immunoglobulines sont impossibles à trouver dans certains pays, ce qui pourrait vouloir dire que vous auriez besoin de vous rendre dans un autre pays pour les recevoir. La rage est une maladie mortelle. Des exemples de pays à risque : l'Inde, l'Indonésie et le Guatemala.

10- **Recevoir le rappel du combiné de vaccins contre le tétanos-polio-diphtérie est gratuit dans la plupart des cas ou en partie remboursable par l'assurance-maladie gouvernementale selon votre âge.**

VRAI.

• Rappel général valable pour de nombreuses destinations concernant la nourriture : faire bouillir, cuire, peler les fruits et les légumes ou les aliments... Mieux vaut trop faire cuire que pas assez !

• N'oubliez pas de demander de mettre à jour votre carnet de vaccination !

• Pour plus d'informations, consultez le site Internet de l'Organisation mondiale de la santé : **who.int/fr/**

• Votre compagnie d'assurance voyage vous donnera différentes adresses d'hôpitaux internationaux où il vous sera possible de rencontrer un médecin sur place en cas de pépin.

Formalités

Sur le site web du ministère des Affaires étrangères de votre pays, vous retrouverez l'information ponctuelle sur les diverses exigences d'entrée et de sortie de tous les pays. On y retrouve aussi les différentes adresses des services consulaires du pays que vous souhaitez visiter afin de faire établir votre visa, avant le départ, si nécessaire.

PASSEPORT

Les ressortissantes canadiennes doivent s'assurer que leur passeport sera **valide au moins six mois (jour pour jour) après la date de leur retour dans leur pays.** Sinon, on pourrait leur refuser le droit de prendre leur vol.

VISA

De nombreux pays exigent que vous déteniez un visa touristique afin d'avoir le droit de vous balader sur leur territoire, et ce, selon les ententes qu'ils ont avec votre pays d'origine. Les procédures (formulaires, relevé de banque prouvant votre solvabilité, lettre de l'employeur, etc.) et les frais reliés pour en faire la demande diffèrent d'une destination à l'autre et peuvent changer sans préavis. Ainsi selon les pays, vous aurez à faire votre demande de visa avant ou après votre entrée sur le territoire souhaité. Selon les cas, le visa est valide dès son émission et pour une durée donnée – comme pour l'Inde (6 mois) –, ou valide pour une durée donnée dès l'entrée sur le territoire, comme pour la Tanzanie (3 mois). Vous pourriez également avoir à fournir la preuve d'un montant minimum dans votre compte en banque, comme au Brésil. Vous devrez également choisir l'option d'entrée simple ou multiple. Pour le récupérer sur place, vous pouvez vous rendre au poste de douane de votre terminal d'arrivée : aéroport, gare routière ou ferroviaire, au Cambodge, par exemple. Les deux options sont rarement possibles pour le même pays. Il est donc essentiel de ne pas oublier de vérifier ces informations auprès de l'ambassade du pays visité (bureau situé dans votre pays d'origine) avant d'arrêter votre choix sur une destination et de réserver votre billet d'avion !

LETTRE D'INVITATION

Certains pays comme la Russie et la Mongolie exigent une lettre d'invitation afin de pouvoir faire la demande de visa. Ces lettres sont impossibles à obtenir sans passer par une agence de voyages qui prouvera la prise en charge de vos réservations, surtout en ce qui concerne l'hébergement.

Assurances voyage

Dépense inutile ? Nous avons toutes cette pensée magique : en voyage, nous sommes invincibles ! Les malades ou accidentés potentiels, ce sont les autres.

Il suffit d'avoir connu un pépin à l'étranger pour réaliser qu'on fait fausse route. Ce voyage, vous en avez rêvé et avez investi temps, énergie et argent. Ce serait bête de vous retrouver avec une note d'hôpital mirobolante par pure négligence ! Dès que vous sortez de votre pays (ou de votre province dans le cas des Québécoises), vous devez souscrire à une assurance.

Mais avant, vérifiez que vous n'êtes pas déjà couverte par l'assurance de votre employeur ou par l'entremise de votre carte de crédit. Si c'est le cas, vérifiez aussi les conditions et les détails de la couverture. Les cartes de crédit avec avantages voyages comportent souvent des restrictions, surtout pour l'annulation avant départ. Les forfaits d'assurance annuels se sont beaucoup améliorés au cours des dernières années et restent généralement abordables.

Par ailleurs, si le ministère des Affaires étrangères de votre pays émet un avertissement sur son site Internet tel que : « Évitez tout voyage non essentiel » ou « Évitez tout voyage » pour l'une des régions d'un pays que vous souhaitez visiter AVANT de réserver certaines prestations touristiques, mais que vous prenez quand même la décision de réserver, sachez qu'aucune assurance voyage ne risque de vous couvrir par la suite en cas de problème. En revanche, si ce genre d'avertissement apparaît après que vous avez réservé, vous pourriez bénéficier d'un remboursement à condition d'avoir souscrit à une assurance voyage annulation. Il n'y a cependant aucune obligation légale ou contractuelle de la part des assureurs.

Si un problème de passeport ou de visa vous empêche de prendre votre vol international et vous force à manquer une partie du voyage, aucun assureur ne vous couvrira. Il est également très rare que les compagnies aériennes prennent la décision d'interrompre complètement leurs services vers une destination en situation de crise.

VOUS AVEZ DÉJÀ UN FORFAIT D'ASSURANCE ?

VÉRIFIEZ VOTRE NIVEAU DE COUVERTURE EN QUELQUES QUESTIONS

- Quelle est la durée de mon assurance voyage actuelle (s'il y a lieu) ?
- J'ai une condition médicale, est-elle couverte ? Quelles sont les restrictions ?
- Suis-je couverte pour les soins médicaux d'urgence ? Dois-je payer une franchise ?
- Suis-je couverte pour l'annulation avant le voyage et l'interruption pendant le voyage ? Quel est le délai pour avertir mon assureur ?
- Suis-je couverte pour la perte et le vol des bagages ? Quelle est la somme couverte et le type d'articles ?
- Suis-je assurée de recevoir de l'assistance en français en cas d'urgence, 24 heures sur 24 ?
- Qui devra faire les démarches auprès du régime provincial d'assurance-maladie pour la partie remboursable par le régime public ? (pour le Québec)

Faire sa valise

Ce n'est pas parce qu'on connaît le climat d'un pays qu'on sait pour autant quoi mettre dans sa valise. Les us et coutumes locales influenceront tout autant son contenu que l'humeur changeante de Dame Nature. **Voyager, c'est s'adapter et respecter l'autre et ses croyances.** Non, gambader sur une plage les seins nus n'est pas bien vu dans la plupart des pays ! Il est essentiel de se renseigner avant le départ sur les vêtements conseillés et déconseillés, histoire de ne pas choquer les populations et d'éviter les ennuis.

D'accord, vous vous sentiriez sans doute mieux en robe courte sans manches quand le mercure frise les 35 °C au Qatar. Mais cela irait à l'encontre des règles de bienséance locales ! On voyage pour s'ouvrir à l'autre, pas pour lui imposer notre mode de vie. De manière générale, couvrez vos genoux et vos épaules quand il est recommandé de le faire, peu importe la région du monde. Faites-le par respect pour les femmes du pays, mais aussi pour améliorer vos chances d'interaction avec la population locale qui appréciera vos efforts d'adaptation.

FRINGUES « 101 »

Prévoyez des vêtements **légers**, **confortables** et idéalement qui **se lavent facilement** et **sèchent rapidement**. Les boutiques de sport et de plein-air sont sans doute les meilleurs endroits pour dénicher des vêtements adaptés aux différents climats. Les tuniques légères sont par ailleurs idéales pour les endroits plus chauds où il est nécessaire de se couvrir les bras.

Conseil de pro :

« *Multi-usage, mon paréo protège mon équipement photo, facilite les baignades ou la douche impromptues, isole de la saleté d'un banc ou de draps douteux, sèche en un clin d'œil, et surtout me permet de me couvrir la tête, les bras, ou les jambes si je veux entrer dans un lieu saint ou dans une maison familiale* », constate la voyageuse et blogueuse aguerrie **Marie-Ange Ostrée** (**unmondeailleurs. net**). *Indispensable, léger et pas cher. Mon paréo fétiche a plus de 10 ans. Il est un peu décoloré, mais il me suit partout !* »

Dénuder ses épaules et ses jambes est considéré comme indécent dans certains pays. Devez-vous oui ou non porter le voile dans les pays musulmans ? Si oui, comment le porter ? Rares sont les endroits où il est conseillé aux étrangères de cacher leurs cheveux, mais il est obligatoire de se couvrir la tête pour visiter des mosquées, au Moyen-Orient notamment. Sachez par ailleurs qu'il est aussi nécessaire de couvrir ses épaules et ses genoux à la basilique Saint-Pierre de Rome. Assurez-vous donc d'avoir les bonnes informations !

Astuce

Le foulard : le superhéros des accessoires !

Si vous avez des cheveux clairs et que vous voyagez dans un pays où la plupart des femmes ont les cheveux foncés, il se pourrait que vous attiriez sur vous une attention non désirée. **Pensez à porter un foulard ou un chapeau.** « *Le meilleur ami de la femme voyageuse est le foulard !*, croit la blogueuse québécoise **Jennifer Doré Dallas**, fondatrice de **moimessouliers.org**. *Couvrez-vous les épaules ou les genoux dans les endroits religieux, utilisez-le comme paréo à la plage ou pour vous réchauffer par temps froid, roulez-le en boule pour en faire un oreiller dans les transports, utilisez-le comme baluchon ou enveloppe à vêtements souillés, etc. Il existe 1 001 façons d'en tirer profit !* »

LES BONS VÊTEMENTS
EN TOUTES CIRCONSTANCES

Voici quelques recommandations de base provenant des ouvrages spécialisés de référence, *Kiss, Bow or Shake Hands* de Terri Morrison et de Wayne A. Conaway, ainsi que de différents acteurs de l'industrie touristique, notamment des agences de voyages dans les pays concernés.

Afrique du Sud - Botswana - Madagascar - Namibie :
Les jeans et pantalons sont acceptés, surtout pour les adeptes de plein-air.
Vous pouvez porter des sandales ouvertes à l'année sans offenser personne.
Évitez de trop vous dénuder.

Argentine :
L'apparence soignée est très importante. On scrutera vos vêtements de la tête aux pieds.
Évitez les couleurs vives.
Les shorts sont acceptés seulement autour de la piscine ou à la plage.
Pour les sorties en soirée, il est recommandé de porter une robe ou une jupe.
Malgré toutes vos bonnes intentions d'intégration, il n'est pas bien vu pour une étrangère de porter des vêtements traditionnels des Premières Nations.

Birmanie :
Portez des sandales faciles à enlever puisque vous aurez à le faire régulièrement en entrant dans les nombreuses pagodes. Les chaussettes, comme les chaussures ou sandales, n'y sont généralement pas autorisées non plus.

Camisoles, shorts et mini-jupes ne sont pas non plus les bienvenus, surtout par respect pour les traditions religieuses. Des blouses sans manches pourraient être tolérées, à condition qu'elles ne soient pas trop ajustées. Les pantalons longs ou de type capri sont permis. Procurez-vous quelques *longyi*, genre de paréo traditionnel, afin de vous en couvrir les épaules et de l'enrouler autour de la taille, au moins lors de visites de temples. Les hommes et les femmes birmans portent le *longyi* sur une base régulière. Ce vêtement est normalement fait d'un tissu respirant. Ses dessins, couleurs et motifs indiquent s'il est destiné à un homme ou à une femme. Pour les femmes, le *longyi* se porte avec une blouse. Il est généralement noué autour de la taille (tout en tirant le tissu d'un côté, le replier à la hanche, puis l'attacher du côté opposé). Il témoigne de votre respect et de l'intérêt que vous portez à la culture de vos hôtes.

Bolivie - Pérou :

Préférez les teintes foncées, comme celles portées par les gens sur place.

Vos vêtements doivent au minimum couvrir les genoux, privilégiez même ceux qui descendent jusqu'aux chevilles.

Évitez de porter les vêtements traditionnels des différentes minorités ethniques, même si vous souhaitez faire honneur à leur culture. Cela serait au contraire pris comme un manque de respect de votre part.

Le débardeur n'est pas bienvenu, surtout dans la région des Andes (d'autant plus qu'il y fait un peu froid !).

Brésil :

Évitez de porter les couleurs jaunes et vertes, qui sont celles du drapeau national (à part pendant les coupes du monde !).

Comme on accorde une grande importance à l'apparence, de manière générale les gens apprécieront que vous ayez une belle manucure et une tenue soignée.

Cambodge - Laos - Thaïlande :

Évitez de porter du noir, couleur réservée aux funérailles.

Idéalement, réservez les fines bretelles pour la plage, même si de nombreuses voyageuses les portent ailleurs.

Sachez que vous devrez laisser vos chaussures à l'extérieur lors des visites de temples : mieux vaut donc opter pour les moins chères de votre garde-robe puisqu'il arrive que certaines disparaissent.

Contrairement à ce qu'on pourrait penser, porter des sandales ou des tongs en plastique ailleurs qu'à la plage n'est pas bien vu et est généralement considéré comme l'apanage des agriculteurs.

Chine :

Essayez d'éviter les couleurs vives.

Vous risquez de choquer en portant un décolleté plongeant, un T-shirt ou un débardeur moulant.

Les shorts sont habituellement réservés aux activités sportives.

Corée du Sud :

Les vêtements trop sexy, comme une jupe courte, sont déconseillés. Pas de regrets, ils ne sont de toute façon pas pratiques, puisque vous aurez souvent à vous asseoir par terre pour manger et prendre le thé !

Notez que les couleurs jaunes et roses sont traditionnellement réservées à la royauté.

Égypte :

N'adoptez pas la tenue locale, par exemple la djellaba égyptienne, dès que vous débarquez de l'avion. Certaines personnes plus conservatrices pourraient se sentir insultées. Attendez de vous intégrer davantage et revoyez votre position si nécessaire.

En ville, les manches trois quart sont recommandées.

Ayez toujours un foulard à portée de main.

Si vous sentez que les Égyptiens vous scrutent de la tête aux pieds, c'est probablement que vous n'êtes pas vêtue de façon assez modeste. Même s'il fait chaud, il faut vous couvrir au maximum et privilégier les vêtements amples.

Équateur :

Plus vous vous éloignez de la côte, plus le code vestimentaire devient conservateur.

Les shorts et les bikinis, même à la plage, ne sont vraiment pas bien vus. Observez comment les gens sont vêtus pour prendre leur bain de soleil et faites de même.

Guatemala :

Si le port du pantalon est de plus en plus courant chez les femmes, il pourrait encore offenser certaines personnes, mieux vaut donc éviter. Une jupe longue et une blouse passent beaucoup mieux.

Inde - Népal - Sri Lanka :

Les femmes qui portent des tenues courtes et moulantes sont mal vues, surtout dans les régions rurales du pays.

Vos épaules doivent être couvertes, de même que vos chevilles. Elles sont en effet considérées comme les parties du corps les plus sexuées/suggestives.

Le port de la jupe longue est fort commode pour les pauses pipi lors des trajets en autobus !

Porter l'habit traditionnel permet aussi de se fondre plus aisément dans la foule (même si la couleur de nos cheveux nous trahit souvent !). Optez pour une tunique de type *punjabi* ou pour le *salwar kameez*, pantalon très large assorti d'une longue et grande chemise. Il est souvent accompagné d'une *dupatta*, une longue écharpe que l'on peut porter de différentes manières.

S'attacher les cheveux permet de se rendre partout et évite de se faire trop remarquer ou d'avoir une allure trop sensuelle.

Toujours avoir une écharpe ou une étole sur soi pour couvrir sa poitrine. Un combiné pantalon/tunique/écharpe passe-partout, pratique et confortable, le vêtement idéal pour passer inaperçu... ou presque.

Indonésie :

Vous devriez toujours porter le sarong lorsque vous vous baladez, surtout dans les villages, ou au moins une jupe trois quart ou un pantalon capri.

Portez obligatoirement le sarong pour entrer au temple. Les manches courtes trois quart sont tolérées, mais pas les manches très courtes et encore moins les shorts.

Ne portez pas de noir si possible, surtout pendant les fêtes ou au temple.

Les jeans sont tolérés, mais considérés comme négligés.

Israël :

Il est fortement déconseillé de porter les vêtements traditionnels des minorités ethniques, juive comme musulmane, si vous n'êtes pas de l'une de ces confessions. Les gens pourraient le prendre comme un affront.

Même si la capitale semble beaucoup plus ouverte, dans certains quartiers de Tel Aviv, essayez de vous couvrir le plus possible. C'est essentiel à Jérusalem et dans les villages.

Italie :

Faites bonne impression. En italien on dit : « *Fai una bella figura.* » C'est un mode de vie.

Japon :

Portez des chaussures ou des sandales faciles à retirer et à remettre – pour les visites de temples.

Restez sobre, pas de bijoux voyants ni de parfums trop prononcés et réduisez votre maquillage au minimum.

Si vous souhaitez porter le kimono, enroulez la partie gauche sur la droite. Seuls les cadavres sont drapés de la droite vers la gauche !

Jordanie - Maroc - Tunisie :

Oubliez les vêtements trop près du corps.

Couvrez systématiquement vos épaules et si possible vos bras (mais dans certains endroits, comme dans les grandes villes – ailleurs que dans les mosquées –, une blouse à manches courtes convient).

Malaisie - Singapour :

Oubliez le short et portez la jupe au-dessous du genou.

Par respect pour les femmes indiennes et musulmanes, optez pour un haut avec des manches.

Mexique :

Le jean n'est pas très bien vu pour les femmes, à moins qu'il soit bien propre et impeccable.

Les vêtements sexy et les shorts sont encore considérés comme inappropriés, à moins que vous ne restiez dans un complexe hôtelier en bord de mer.

Mongolie :

La société mongole reste conservatrice et assez stricte.

Malgré tout, même en compagnie de femmes de religion musulmane, vous n'aurez pas besoin de vous couvrir les cheveux ou de porter de jupe longue. Le port du pantalon ou du jean est accepté avec un T-shirt à manches courtes ou longues. La plupart des femmes portent un foulard pour se protéger la tête du soleil, qui peut frapper très fort.

Panama :
Porter des pantalons en région rurale pourrait attirer les regards. Privilégiez la robe ou la jupe longue et une blouse à manches longues. Les décolletés plongeants et les vêtements trop ajustés sont déconseillés.

Tanzanie - Kenya :
Par respect pour la population locale, ne vous promenez pas en ville comme dans les villages (y compris sur les îles de Zanzibar en Tanzanie) en bikinis, mini-jupes et shorts. Couvrez-vous les épaules et portez des pantalons ou des bermudas.
À la plage, même si elle est fréquentée par des touristes, couvrez-vous s'il y a des pêcheurs ou des cueilleurs d'algues, histoire de ne pas les choquer.

Turquie :
Ne vous baladez pas en maillot de bain en dehors des plages, même si la plupart des villages de la côte méditerranéenne sont assez ouverts au tourisme.
Si vous souhaitez visiter des mosquées ou des églises orthodoxes, soyez vêtues de façon adéquate : pas de jupes courtes, de shorts ou de décolletés.
Vous devrez aussi vous couvrir la tête dans les sites

religieux. Souvent on distribue des voiles ou abayas à l'entrée des mosquées et des églises historiques (sites touristiques renommés) pour permettre aux femmes d'y pénétrer.

Si vous portez des bas, des collants ou des chaussettes, assurez-vous qu'ils soient propres et sans trous, car vous aurez à enlever vos chaussures pour entrer à la mosquée ainsi que dans les foyers turcs.

Vos vêtements ne seront certes peut-être pas les plus attrayants (ce n'est pas le but), mais mieux vaut rester simple.

Vietnam :

Il n'y a pas de code vestimentaire très strict, mais essayez néanmoins de rester suffisamment couverte, surtout lorsque vous visitez les villages de montagne.

Aujourd'hui, l'élégante tunique *áo dài* n'est plus réservée qu'aux événements spéciaux. Cette tunique à quatre panneaux est portée sur un pantalon ample.

LISTE EXHAUSTIVE D'ARTICLES À EMPORTER

Évidemment, ce sont des recommandations. À vous de faire la part des choses selon le type de voyage que vous vous apprêtez à faire !

DOCUMENTS

☐ Passeport (valide plus de 6 mois avant la date de retour)

☐ Carte de points *(miles)*

☐ Différents modes de paiement : argent liquide, carte bancaire, carte de crédit, chèques de voyage (facilement remplaçables)

☐ Numéro de votre police d'assurance voyage ainsi que les numéros d'urgence 24 h

☐ Permis de conduire international

☐ Petites photos passeport pour les visas de touriste à prendre sur place

☐ Carnet de vaccination (optionnel)

☐ Carnet de plongée (optionnel)

Laissez une photocopie de chaque document ainsi que la liste des chèques de voyage à un proche joignable en tout temps. Prenez avec vous deux photocopies de chaque document et/ou une clé USB.

QUELS SACS CHOISIR ? NOS RECOMMANDATIONS

- ☐ Ceinture passeport
- ☐ Grand sac à dos (maximum 60 litres pour les femmes) OU valise sur roulettes selon la formule voyage choisie
- ☐ Petit sac à dos d'excursion avec un bon support de métal pour le dos (entre 15 et 35 litres)
- ☐ Sacs « *Ziploc* » pour protéger les articles de l'eau ou aider au rangement
- ☐ Sacs de compression (que l'on trouve dans les boutiques de plein-air)

PRODUITS À EMPORTER, POUR TOUT TYPE DE VOYAGE

- ☐ Brosse à dents, dentifrice et soie dentaire[9]
- ☐ Peigne de poche et élastiques à cheveux
- ☐ Rasoirs, coupe-ongles et pince à épiler
- ☐ Shampoing revitalisant 2 en 1 et savon sans odeur ou à la citronnelle
- ☐ Nettoyant pour le visage
- ☐ Crème hydratante pour le corps, le visage, les mains et les pieds
- ☐ Crème pour les infections aux pieds (dans certains pays, on est souvent pieds nus, notamment dans les temples)
- ☐ Serviettes sanitaires et tampons (souvent plus difficile à trouver sur place)
- ☐ Couches si vous voyagez avec un bébé (souvent plus difficile à trouver sur place)
- ☐ Préservatifs
- ☐ Antitranspirant
- ☐ Traitement contre les poux (surtout en cas de travail humanitaire auprès des enfants)

---

9 Plus connu en France sous le nom de fil dentaire !

MÉDICATION À EMPORTER,
POUR TOUT TYPE DE VOYAGE
(là encore, à vous de faire la part des choses !)

- ☐ Antiseptique buccal en sachets et crème pour les ulcères
- ☐ Sachets de solution de réhydratation orale
- ☐ Antibiotique pour soigner la diarrhée avancée (après 2 jours et demi, et à vérifier avec un médecin en santé du voyageur)
- ☐ Comprimés contre les selles liquides
- ☐ Antibiotique contre les allergies
- ☐ Gouttes antibiotiques pour les yeux et les oreilles
- ☐ Comprimés contre les vers
- ☐ Comprimés ou timbre autocollant contre les maux de transport
- ☐ Comprimés d'Ibuprofène ou de paracétamol pour les petites douleurs
- ☐ Comprimés de charbon activé et probiotiques (qu'il n'est pas nécessaire de garder au frais) pour aider à la digestion.
- ☐ Multivitamines
- ☐ Pompe décongestionnante pour le nez (pour faciliter le voyage en avion)
- ☐ Gouttes hydratantes pour les yeux (car la fumée des transports en ville peut irriter ou assécher les yeux)

Il est primordial d'apporter les prescriptions de votre médecin pour tous les antibiotiques ou tout autre traitement, au long cours ou non.

NOS ACCESSOIRES INDISPENSABLES
POUR LA PLUPART DES VOYAGES

☐ Petit guide de conversation

☐ Bouchons d'oreilles (boules Quiès)

☐ Gel antibactérien

☐ Écouteurs (pour l'avion)

☐ Lunettes de soleil de bonne qualité

☐ Petit sac à dos de jour

☐ Téléphone et chargeur (appareil photo, réveille-matin, Internet, calculatrice)

☐ Petit oreiller de voyage gonflable ou de camping pour les longs trajets

☐ Lingettes humides

☐ Trousse de premiers soins avec, entre autres, des pansements pour les ampoules

☐ Paréos servant de serviette, jupe, foulard...

☐ Crème solaire avec 30-40 de *DEET* et anti-moustique (et toutes sortes de crèmes !)

☐ Adaptateur secteur universel

**LES ACCESSOIRES RECOMMANDÉS
POUR UN VOYAGE SAC AU DOS OU UN TOUR DU MONDE**

☐ Lampe frontale

☐ Couteau de type suisse

☐ Filet anti-moustique pour la nuit avec produit intégré (souvent déjà fourni dans les hébergements)

☐ Petit kit de couture

☐ Carnet de voyage et crayons

☐ Briquet et chandelles

☐ Cadenas et chaînes pour les bagages

☐ Sac de randonnée avec *Camelbak* à l'intérieur (pochette étanche en plastique pour l'eau) ou 1 à 2 gourdes de 1 litre

☐ Drap de lit cousu ou drap en soie (lorsque l'on doute quelque peu de la propreté des draps. C'est plus léger et moins chaud qu'un sac de couchage)

☐ Bandanas et cache-cou tubulaire

☐ Petite serviette de voyage compacte

☐ Jupes trois quart ou longues (selon les mœurs du pays)

☐ Gamelle/ustensiles

☐ Corde et épingles à linge

☐ Comprimés de traitement de l'eau, solution liquide ou lumière ultraviolette

Le plastique tel celui des bouteilles est un vrai fléau, donc pensez à la protection de l'environnement

LES ACCESSOIRES RECOMMANDÉS
POUR UN VOYAGE EN SAFARI-PHOTO

☐ Paire de jumelles (essentielle pour l'observation de la faune)

☐ Chapeau de type explorateur, qui protège mieux du soleil qu'une casquette

☐ Écran solaire et baume pour les lèvres avec un indice 30 et +

☐ Pantalons de sport fonctionnels qui se changent en bermudas et en tissu synthétique qui sèche rapidement

☐ Chemises aux manches qui se replient avec boutons

☐ Veste plus chaude sans manches de style « doudoune » en plume

LES ACCESSOIRES RECOMMANDÉS
POUR UN VOYAGE DE RANDONNÉE EN MONTAGNE

☐ Bâtons de marche rétractables

☐ Barres de céréales et noix

☐ Nourriture en sachet (eau chaude à ajouter)

☐ Épices en sachet

☐ Mini-carnet avec photo personnelle de format passeport et toutes vos informations personnelles pertinentes en cas d'incidents (pouls, type sanguin, rythme cardiaque, médication régulière, allergies, opérations passées, personne à contacter en cas d'urgence, etc.)

☐ Écran solaire et baume pour les lèvres avec dioxyde de titane et un facteur 60

☐ Sous-vêtements thermiques

☐ Bonnet et gants (plusieurs paires selon la durée de la randonnée)

☐ Sac de couchage (3 saisons ou d'hiver selon l'altitude de l'ascension)

☐ Doublure en polaire à insérer à l'intérieur du sac de couchage

☐ Bottes de marche déjà portées (de préférence en goretex) avec semelles de qualité

☐ Bandanas et cache-cou tubulaire

☐ Pantalons de sport longs et confortables – tissu qui sèche rapidement – de type jogging pour la soirée après la randonnée

☐ Chaussettes de sport

☐ Plusieurs T-shirts à manches courtes et longues (de préférence en Polartec®)

☐ Imperméable et coupe-vent (coquille de préférence en goretex)

☐ Manteau de type doudoune en plume pour le soir

☐ Trousse de premiers soins : pansements hydrofuges, petits ciseaux, gazes, tampons antiseptiques, seringues de plusieurs tailles accompagnées d'une lettre d'autorisation – bilingue – du médecin, etc.

LES ACCESSOIRES RECOMMANDÉS POUR UN VOYAGE DE PLONGÉE OU DE VOILE

☐ Masque, tuba et plus petites palmes pour la plongée en apnée

☐ Bottillons de plongée ou souliers d'eau

☐ Chandail à manches courtes de style *rash* (pour protéger du soleil)

☐ Chandail à manches longues en néoprène

☐ Combinaison de plongée courte ou longue en néoprène

☐ Souliers de voile ne laissant pas de marques noires de semelles

☐ Crème cicatrisante (car les blessures, par exemple une égratignure d'un corail en plongée, sont plus longues à cicatriser à cause de l'eau salée et de l'air)

IDÉES D'ARTICLES À OFFRIR
À UN ORGANISME HUMANITAIRE OU
À LA FAMILLE CHEZ QUI VOUS SÉJOURNEREZ

De nombreux voyageurs aiment offrir des choses utiles aux gens dans le besoin dans les pays visités. Avant de donner n'importe quoi à n'importe qui, renseignez-vous. Par exemple, lors des randonnées, demandez au guide ce qu'il est approprié de faire. Privilégiez plutôt les gens avec qui vous avez établi une relation plutôt que de donner au premier passant dans la rue. Informez-vous à propos des organismes de confiance à qui faire des dons. Nous déconseillons de remettre de l'argent, surtout aux enfants, à qui il revient rarement : offrez-leur plutôt un repas.

Quelques exemples de petits présents : petits savons et bouteilles de shampoing, pansements, crèmes antibiotiques, crayons, anciennes paires de lunettes, élastiques à cheveux, batteries (très appréciées, par exemple, en Mongolie), petits kits de couture, lampes de poche, petites radios, cahiers à colorier, casse-tête, chandelles et ballons.

Conseils de pro :

« Il n'y a rien de plus déprimant que de débuter un voyage en attendant près du carrousel à bagages, longtemps après que tout le monde a retrouvé le sien, et de réaliser que le vôtre manque à l'appel. Quand vous voyagez seule, vous n'avez personne à qui emprunter du dentifrice ou des sous-vêtements propres. Je prépare toujours un petit sac de toilette ainsi que deux ensembles faciles à plier dans mon bagage à main et, si je me rends dans une destination soleil, une paire de sandales et un bikini. »

**Nikki Bayley, 44 ans, journaliste indépendante,
nikkibayley.co.uk**

« *Toujours prendre sa valise en photo avec son cellulaire avant le départ et écrire ses nom, adresse et numéro de téléphone sur une grande feuille que l'on glisse à l'intérieur. Si la valise est perdue, il sera ainsi beaucoup plus facile (et rapide) de l'identifier. Sur une clé USB, glisser une copie de son passeport, de ses cartes de crédit, de la liste de ses médicaments, de ses assurances, son adresse, celle de son chum, de sa mère... Bref, toutes les informations utiles en cas de vol, d'écrasement d'avion ou d'attaque nucléaire.* »

Lise Giguère, 62 ans, journaliste indépendante spécialisée en tourisme, lisegiguere.wordpress.com

« *La voyageuse plus sportive doit penser confort et légèreté au moment de préparer ses bagages, parce qu'elle devra souvent les traîner sur son dos pendant de longues distances. Alors exit la grosse valise à roulettes dans laquelle on empile sa vie ! Dans son sac à dos, elle devrait toujours avoir des vêtements en laine de mérinos polyvalents, hiver comme été, parce que même après plusieurs jours d'efforts intenses, ils ne puent pas. C'est donc meilleur pour la vie sociale ! Le reste, c'est selon les activités, mais rappelez-vous que voyager léger permet aussi d'avoir l'esprit plus léger... pas seulement d'épargner votre dos !* »

Nathalie Rivard, 51 ans, journaliste et blogueuse aventure, nathalierivard.com

Sécurité «101»

La femme,
cet homme comme les autres

La femme,
cet homme comme les autres ?

Quoi qu'on en dise, une femme n'a pas les mêmes préoccupations qu'un homme quand il s'agit de sécurité. Dès l'enfance, nous, femmes, sommes « programmées » pour ne jamais oublier notre vulnérabilité. Cependant, courons-nous vraiment plus de risques à l'étranger qu'à la maison ? Pas forcément !

Évidemment, comme pour tout, il y a des nuances. Si vous sortez seule le soir à Caracas et prenez une bonne cuite, oui, vous allez au-devant des ennuis. En plus de vous informer sur les endroits à éviter avant le départ, renseignez-vous auprès de voyageurs ou de « locaux » une fois sur place (par exemple, le concierge d'un hôtel ou encore mieux, si vous avez de bonnes références) pour avoir l'heure juste sur les choses à ne pas faire. Pouvez-vous vraiment aller jogger seule tôt le matin dans ce quartier ? Est-ce sûr de se rendre seule en transport en commun à l'autre bout de la ville ? Sortir se balader après la tombée du jour, une bonne ou une mauvaise idée ?

« *Les personnes les plus à même de vous conseiller sont celles qui ont déjà effectué des voyages de la manière qui vous intéresse, dans les régions qui vous intéressent*, estime **Anick-Marie Bouchard**, sur la route depuis 2002. *Il y a un problème fondamental avec les conseils venant des hommes et s'adressant aux femmes : ils sont soumis à un jeu de téléphone arabe où les préjugés et les projections* *ont beaucoup de poids. Obtenir des informations de première main est la meilleure façon de briser ces préjugés. »*

La jeune trentenaire, qui a fait partie de l'équipe de CouchSurfing (**couchsurfing.com**), site favorisant l'hébergement gratuit des voyageurs chez l'habitant, a des positions très radicales sur l'alcool. « *Évitez d'en consommer !* recommande-t-elle. *Plusieurs années d'expérience dans les domaines de la sécurité et de la résolution des conflits sur le réseau international CouchSurfing m'ont convaincue que c'est le meilleur conseil à donner aux femmes. Ce n'est pas uniquement pour éviter de perdre la tête, c'est surtout pour ne pas se retrouver avec des gens saouls aux comportements douteux ou risqués, et pour ne pas avoir à se déplacer de façon imprévue dans un contexte nocturne. S'afficher comme non-buveuse nous laisse le choix des moments privilégiés où l'on peut baisser sa garde sans crainte et profiter d'une boisson traditionnelle dans un cadre familial, par exemple. »*

L'instinct avant tout

N'oubliez jamais que votre meilleur allié est votre cher gros bon sens. Une invitation à partager un repas peut aussi bien être une occasion extraordinaire de goûter un aperçu de la vie quotidienne des habitants, qu'un guet-apens.

« *Pour moi, il faut être toujours vigilante, en toutes circonstances,* insiste la journaliste et blogueuse **Sarah Dawalibi** (**leblogdesarah.com**), qui a visité plus de cinquante pays, le plus souvent sac au dos. *J'ai l'habitude d'avoir comme un radar qui scanne en permanence mon environnement. Il faut regarder devant soi, mais aussi savoir ce qui se passe derrière et à côté de soi… Avoir conscience de son environnement permet de détecter une situation anormale ou d'anticiper si un individu vous semble louche. Si quelqu'un me semble bizarre, je n'hésite pas à changer de trottoir, ou, au besoin, à entrer dans une boutique… Je n'essaie pas de rationaliser mes impressions ni de me rassurer en me disant : "Arrête d'être parano, tu hallucines voyons"… Si j'ai le moindre doute, que le moindre signal se met à clignoter dans un coin de ma tête ou dans mon ventre, j'en tiens compte.* »

Vous l'aurez donc compris, ce n'est pas parce que vous êtes en voyage, dans un contexte plus détendu, que votre jugement doit rester à la maison !

Suivez l'actualité !

Histoire de bien vous préparer, consultez la page web « Conseils et Avertissements » du ministère des Affaires étrangères de votre pays, il vous fournira une foule d'informations très régulièrement actualisées. Vous y trouverez ainsi des sections contenant des avertissements particuliers, ainsi que sur la sécurité, les lois, les catastrophes naturelles, et la façon d'obtenir de l'assistance de votre ambassade une fois sur place. Il faut bien sûr en prendre et en laisser car les gouvernements ont l'obligation de vous faire part de tout ce qui se passe à destination. Donc, gardez en tête que certains avis sont des cas uniques et isolés et non des généralités.

Si votre pays de destination connaît une période d'instabilité climatique ou politique, consultez la rubrique « Avertissements » afin de ne perdre aucun renseignement : lorsque vous planifiez votre voyage, au moment de la réservation et juste avant de partir.

Tenez-vous aussi au courant de l'actualité en consultant régulièrement des sources fiables, tant les médias que vous connaissez que ceux du pays concerné. Vous pourrez aussi vous renseigner auprès de votre ambassade dans le pays visité.

4 CONSEILS DE PRO EN MATIÈRE DE SÉCURITÉ

La Canadienne **Evelyn Hannon**, 72 ans, est éditrice du blogue **journeywoman.com**. Basée à Toronto, elle voyage en solo depuis plus de trente ans. Elle est aujourd'hui une référence dans le monde du blogging. Quelques trucs basés sur son expérience et ses observations.

1- Se vêtir adéquatement : La première chose qu'un voleur remarque n'est pas la couleur de votre peau ou la forme de vos yeux : mais vos vêtements. Si vous êtes habillée comme une femme du coin, un *pickpocket* ne vous prêtera pas plus attention que cela, vous vous fondrez dans la masse. Il préférera s'attaquer à une touriste moins méfiante, qui se mêlera moins à la foule.

2- À l'hôtel, n'acceptez jamais de chambre en rez-de-chaussée : On y accède en effet trop facilement de l'extérieur via un balcon ou une sortie de secours.

3- Ne dévoilez jamais le numéro ou l'emplacement de votre chambre (à part à quelqu'un en qui vous avez confiance) et assurez-vous que les fenêtres et les portes de votre chambre peuvent être verrouillées de l'intérieur et sont impossibles à ouvrir de l'extérieur à l'aide d'une clé.

4- Il n'y a pas de mal à vous détendre au bar de l'hôtel, mais **ne laissez jamais votre verre sans surveillance !** Des gens malveillants pourraient sauter sur l'occasion pour y glisser la drogue du viol (GHB) ou toute autre substance chimique qui pourrait altérer vos facultés. La bonne nouvelle : il existe maintenant des produits qui permettent de tester notre propre boisson. **Info : drinksafetech.com**

LA SÉCURITÉ RÉSUMÉE EN 5 POINTS

● **Faites une copie numérique de tous vos documents importants** (passeport, carte de crédit, numéros de chèques de voyage s'il y a lieu, etc.) et conservez-la sur une clé USB ou envoyez-la-vous par courriel, cela vous sera précieux en cas de perte ou de vol.

● **Ne faites pas ailleurs ce que vous ne feriez pas chez vous.** Partir avec des inconnus dans un lieu que vous connaissez peu est une bonne façon de rechercher les ennuis, surtout si l'alcool s'en mêle !

● **Tenez vos proches régulièrement informés de vos déplacements.** Confiez-leur votre itinéraire prévisionnel, vos coordonnées d'hébergement ainsi que celles de votre guide si vous partez en excursion hors des sentiers battus. Mettez-vous d'accord sur des jours et heures d'appels si vous bougez beaucoup.

● **Si vous voyagez avec un cellulaire, munissez-vous d'une carte SIM** qui fonctionne dans le pays où vous vous trouvez et enregistrez les numéros d'urgence sur place. Il existe souvent une police touristique, par exemple au Maroc, qui a son propre numéro téléphone.

● **Apprendre à se défendre. Suivre des leçons d'autodéfense ou apprendre les rudiments d'un art martial** peut non seulement vous aider à vous défendre, mais également à vous sentir plus en confiance. Un bon investissement, avant de partir, pour rester maîtresse de soi !

Hébergement « 101 »

• **Réservez au moins la première nuit à l'hôtel.** Si vous avez les moyens, optez pour un hébergement plus confortable. Ça vous aidera à atterrir en douceur ! Si possible, faites de même avant de reprendre votre vol de retour.

• Si vous voyagez seule, assurez-vous que **l'hôtel choisi est bien situé et entouré de restaurants et de boutiques.** Cela vous évitera d'avoir à marcher trop longtemps à la nuit tombée dans des endroits déserts ou isolés.

• **Avoir toujours en main la carte d'affaires de l'hôtel** où vous logez. Très pratique si le sens de l'orientation vous fait défaut et que vous ne maîtrisez pas la langue. Demandez au réceptionniste d'écrire le nom de l'hôtel dans la langue du pays sur la carte.

Transport « 101 »

• Même s'il est généralement facile de négocier un taxi au départ de l'aéroport, il est fortement recommandé d'avoir recours au **service de transport/navette de l'hôtel où vous avez réservé.** Dans certains pays, les chauffeurs touchent des commissions de la part des hôteliers s'ils amènent des voyageurs. Conséquence : on vous servira des scénarios du genre « Cet hôtel a brûlé » ou « Il a fait faillite » en vous recommandant chaudement un endroit « très bien ». La dernière chose dont vous aurez envie après un long vol, c'est bien de devoir batailler avec votre chauffeur pour arriver enfin jusqu'à votre lit !

• **Privilégiez les lignes de bus qui passent assez régulièrement afin d'éviter d'attendre seule trop longtemps.**

• **Gardez vos bagages fermés à clé pendant vos déplacements**, surtout pendant les trajets de nuit. En Inde et dans des contrées où le taux de criminalité est très élevé, il est même recommandé de les cadenasser à votre couchette.

• **Évitez la location de voiture, seule ou à deux femmes** dans certains pays comme la Turquie, la Colombie ou le Mexique pour des raisons de sécurité. Les détournements et vols de voiture ne sont malheureusement pas aussi rares qu'on voudrait le croire. Si possible, recourez aux services d'un guide-chauffeur (assez abordables pour deux personnes ou plus) ou optez pour les transports en commun.

• Utilisez des **étiquettes à bagages indiquant seulement un numéro de téléphone et/ou un courriel**, et non toutes vos coordonnées personnelles, afin d'éviter de donner trop d'informations à un voleur potentiel. Tâchez que ces informations ne soient pas trop visibles.

• Songez à réserver un siège pour les longs trajets d'autobus et **insistez pour vous asseoir à côté d'une femme.**

4 QUESTIONS SUR L'AUTO-STOP

Nomade depuis 2002, la Québécoise Anick-Marie Bouchard, alias « Globe-stoppeuse », est auteure pour *Lonely Planet*, coordinnatrice du rallye de vélos solaires SunTrip et blogueuse spécialiste du voyage alternatif. L'auto-stop est pour elle un mode de vie.

1- Le stop, c'est pour qui ?

Le stop, c'est différentes choses pour différentes personnes. Pour un voyageur à petit budget, c'est une façon économique et aventureuse de se déplacer. Pour un voyageur plus conservateur dans ses pratiques, ça peut être trop risqué, tandis que pour une personne marginalisée, le stop est un moyen de transport de survie. De façon générale, c'est une technique de voyage favorisant l'échange humain qui est à la fois écologique, économique et audacieuse.

Comme à peu près tout le monde est capable de lever son pouce au bord d'une route, il faut comprendre le contexte et accepter les risques inhérents à la pratique pour en tirer parti efficacement. Un voyageur peut y trouver son compte de plusieurs façons : rencontre avec les personnes du coin, issues de toutes les classes sociales, discussions profondes et souvent intimes, pratique d'une langue étrangère, échange interculturel, partage, solidarité et bonté. Tout ça avec un trajet gratuit en prime ! Mais ça reste un échange : on donne de soi, de son ouverture, de son écoute, de ses histoires, on divertit, on console, on soutient, on tente de comprendre… Et à mesure que l'on prend de l'expérience et conscience des situations, le risque diminue.

2- Ton meilleur conseil ?

Comme dans tous les voyages et bien des cas, je crois

qu'il faut obtenir des informations de première main. On n'apprend pas à faire du ski en suivant les conseils d'une personne qui n'en fait pas ! L'idéal, c'est de s'informer auprès des auto-stoppeurs qui pratiquent dans les régions qui nous intéressent et surtout, maintenant ! Le stop a beaucoup changé en trente ans car le réseau routier a évolué et la culture de la route aussi. Beaucoup de gens ont une voiture personnelle, le trafic est plus dense et les trajets sont plus complexes.

3- La chose à ne pas faire ?

Faire du stop comme on prend le train ou le bus. Ce n'est pas un service public, il faut y mettre du sien et faire des compromis ; l'arrogance n'est pas bienvenue. Le véhicule est un espace d'intimité comparable au logis, sociologiquement. On y est donc accueilli et le lien s'apparente à de l'hospitalité, avec tous les codes qui s'y rattachent. On y évitera les comportements qui risquent de choquer celui qui nous reçoit : dormir, fumer, manger, boire (autre chose que de l'eau), parler fort, mastiquer bruyamment du chewing-gum, etc. Dans le doute, mieux vaut demander. On dit souvent qu'il faut que la personne que l'on quitte ait envie de reprendre des gens en stop après vous.

4- Comment et où s'informer avant le départ ?

On a la chance de pouvoir trouver des groupes de passionnés sur Internet, et même par le bouche-à-oreille, il est relativement facile de trouver un auto-stoppeur dans son réseau. Le carrefour francophone du stop, c'est le site web du Pouceux (**lepouceux.com**). On trouve beaucoup d'informations sur Wikipouce, la version francophone d'Hitchwiki (**hitchwiki.org**). Enfin, sur de nombreux forums voyage et sur Facebook, il y a des groupes de stoppeurs. Il suffit de chercher « auto-stop » ou « *hitchhiker* » et « *hitchhiking* », en anglais. Et bien sûr, il y a mon site de Globe-stoppeuse (**globestoppeuse.com**), où de nombreuses auto-stoppeuses donnent leurs conseils à d'autres femmes !

Et si on faisait du bateau-stop ?

La blogueuse française **Émily Zanier** (**travelandfilm.com**) bourlingue plusieurs mois par an, surtout depuis 2008. Après avoir traversé la moitié du Pacifique, des îles Fidji à l'Australie, pendant cinq mois avec son copain il y a quelques années, elle s'est lancée dans l'aventure du bateau-stop en solo lors d'un récent voyage dans les Caraïbes.

Comment faire ? « *Il faut d'abord se renseigner pour savoir dans quel sens vont les bateaux. De la Martinique, par exemple, tu vas surtout vers le Sud. Il faut aussi s'assurer que c'est le bon moment de l'année. Impossible pendant la période des cyclones ! Informez-vous sur Internet et posez des questions. Ce n'est pas comme l'auto-stop, où l'on n'a qu'à se rendre au bord de la route et à lever le pouce !* » Les matelots sont rarement rémunérés sur de petits bateaux. Généralement, il est même nécessaire de participer aux frais du voyage, par exemple pour les repas. Évidemment, le type d'expérience varie beaucoup selon la taille du bateau… et les individus.

Certains boulots à combler, outre celui de matelot ? Serveur, chef cuisinier, gardien, concierge…

Quelques sites à consulter pour celles qui ont envie de pousser les recherches : **dev.stw.fr**, **bateau-stop.com**, **vogavecmoi. com**, **crewseekers.net** et **findacrew.net** (en anglais).

Attention au vol !

Quelques conseils pour minimiser vos chances d'être la cible d'un voleur et ne pas être prise au dépourvu.

1- C'est simple : à part dans les endroits où le vol est quasi inexistant comme au Japon ou en Corée du Sud, **ne laissez jamais vos objets de valeur sans surveillance.**

2- Même s'il fait chaud, **portez votre ceinture passeport SOUS vos vêtements (et non par-dessus !)** ou clippez votre pochette de type « banane » à votre ganse de pantalon.

3- **Soyez discrète quand vous retirez de l'argent** dans un distributeur et **quand vous réglez** votre nuitée d'hôtel ou votre repas au restaurant.

4- Dans plusieurs pays, notamment au Vietnam, les hôteliers sont tenus de **vérifier les passeports étrangers à l'arrivée,** et quelquefois, de les conserver à la réception. Essayez de négocier pour ne laisser qu'**une photocopie** ou **une carte d'identité expirée.**

5- Lorsque vous logez dans des **hébergements plus haut de gamme, vous pouvez utiliser le coffret de sécurité à disposition** dans votre chambre pour ranger vos objets de valeur. En revanche, n'oubliez pas de les reprendre en partant !

6- Si vous avez opté pour l'hébergement en **dortoir ou le partage d'une chambre avec d'autres voyageurs,** gardez votre ceinture passeport sous l'oreiller ou sur vous.

7- Si vous ne pouvez pas laisser vos objets de valeur dans le coffre de sécurité personnel de votre chambre d'hôtel et que vous souhaitez profiter des **activités de plein-air**, mettez votre argent, carte de crédit et passeport à l'intérieur d'un ou deux sacs en plastique de type « Ziploc », comme ceux qu'on trouve dans n'importe quel supermarché.

8- Ayez des plans B. Emportez toujours de l'argent liquide, ainsi qu'une ou deux cartes de crédit. Garder quelques billets en dollars américains ou en euros en lieu sûr peut s'avérer très utile, surtout si vous visitez plusieurs pays durant votre voyage. Bien que délaissés par les voyageurs depuis qu'il est facile de retirer dans les distributeurs presque partout, les chèques de voyages restent une alternative à considérer puisqu'ils sont plus facilement remplaçables que les cartes de crédit. L'important est de ne pas tout ranger au même endroit et de laisser des photocopies de vos cartes et documents importants à une personne de confiance, à la maison.

Même si l'on ne peut pas tout prévoir et qu'il est agréable de garder une certaine part d'improvisation, se renseigner sur les règles de sécurité de base et les lois est essentiel.

5 CONSEILS D'UNE PRO DU VOYAGE EN SOLO

La Française Adeline Gressin, 41 ans, est blogueuse profession-nelle. Après un tour du monde et de nombreux voyages au long cours qui l'ont emmenée tant en Amérique du Sud qu'en Asie, elle partage aujourd'hui ses tuyaux, ses trouvailles et ses coups de cœur sur **voyagesetc.fr.**

1 **Ne montrez pas vos craintes et avancez avec assurance.** Il faut toujours montrer qu'on a confiance en soi et que l'on sait où l'on va, que l'on sait ce que l'on fait. Ne jamais laisser paraître la moindre peur, c'est elle qui attire les ennuis !

2 **Quand on voyage en solo, les émotions et l'instinct sont décu-plés. Faites confiance à ce dernier,** aussi bien quand il nous dit « tiens celui-là, il a l'air sympa, tu peux avoir confiance et accepter sa proposition » que quand il nous met en garde « ouh là là ! Ce quartier est louche, ne reste pas dans les parages ». Tout au long de mon tour du monde, j'ai fait confiance à mon instinct et il ne m'a joué aucun tour !

3 **Le sourire.** C'est un énorme atout que de se balader le sourire aux lèvres, ça ouvre des portes, des opportunités et des rencontres !

4 Il faut aussi **avoir une petite dose de nonchalance** (ou d'indiffé-rence), une petite bulle dans laquelle s'isoler et se réfugier pour éloigner tout ce qui pourrait jouer des tours ou créer de l'empa-thie à la voyageuse en solo (exemple : les conducteurs de tuk-tuk qui répètent à chaque coin de rue « Tuk-Tuk Lady », les men-diants qui font pitié, la saleté, la misère…).

5 **Être attentive à son environnement et ses affaires** : voyager en solo, c'est être seule à surveiller ses biens alors quand on se dé-place avec ses sacs sur les épaules, mieux vaut ne pas se laisser déconcentrer (surtout en Amérique du Sud).

Bibittes[10] du monde

AUSTRALIE
1- Méduse : Même si la méduse irukandki ne mesure que 2 à 3 cm, elle peut rapidement paralyser un homme.
2- Mygale : Quatre paires d'yeux et de pattes. Certaines espèces peuvent projeter des poils pour se défendre, et même se séparer d'une patte si nécessaire (de toute façon, elle repoussera). La mygale prédigère ses victimes en les imprégnant d'une solution intestinale régurgitée. Seules trois des espèces qu'on trouve en Australie ont un venin mortel pour l'homme.

PÉROU
3- Œstre : Ce moustique dépose un minuscule œuf, qui passe généralement inaperçu jusqu'au retour, quand on constate une bosse suspecte… Une fois l'œuf éclos, la larve se loge sous la peau. Un conseil : résistez à l'envie de *googliser* cet insecte !

COSTA RICA
4- Fourmi balle : On l'appelle ainsi car une piqûre de cet insecte très commun en Amazonie – des fourmis format XXL – produit une douleur similaire à celle d'une balle de revolver.

---

10 (Bêbêtes pour les lectrices françaises.)

BRÉSIL
5- Marabunta : La piqûre de cette fourmi irrite et paralyse. Elle dévore la chair tant des serpents que des oiseaux et même de l'homme. Et on ne vous parle même pas de la migration dévastatrice des fourmis carnivores...

INDE
6- Moustique : Il est le responsable du plus grand nombre de décès sur la planète, faisant un million de victimes chaque année, surtout en Afrique et en Asie. Ce frêle *serial killer* transmet le paludisme, la fièvre jaune, la dengue et le chikungunya.

NAMIBIE
7- Scorpion à queue large : Le plus mortel des scorpions africains !

MADAGASCAR
8- Scorpions : On en trouve 52 espèces à Madagascar !
9- Scolopendre : Cet insecte sournois a une forme plus aplatie que le mille-pattes, auquel il s'apparente. Sa morsure est très douloureuse et provoque une rougeur (et parfois, un œdème), mais les symptômes disparaissent généralement après quelques heures. On en trouve aussi autour de la Méditerranée !

JAPON
10- Frelon géant japonais : Grosse tête jaune, yeux immenses, thorax brun et abdomen rayé : c'est le plus venimeux des insectes volants !

TOGO
11- Mouche tsé-tsé : Elle transmet la maladie du sommeil dans 36 pays africains. Une piqûre peut être fatale !

MER MÉDITERRANÉE
12- Raie pastenague : Retirer son dard denticulé d'une

vingtaine de centimètres n'est pas une mince affaire. Une piqûre peut entraîner la mort.

OCÉAN INDIEN
13- Crapaud des mers (ou poisson pierre) : Pro du camouflage, il se cache parmi les coraux, les rochers et dans le sable. On dit que son venin peut tuer un homme en deux heures !

À noter que ces bestioles se trouvent généralement dans plus d'un pays. Nous les avons associés ici à titre d'exemples. D'un point de vue plus pratico-pratique, si vous êtes mordu ou piqué par l'une de ces bestioles, quand c'est possible, capturez-la et glissez-la dans un sac plastique pour l'identification.

COMMENT S'EN PROTÉGER ?

• En portant des chaussures fermées dans la jungle et des tongs sur la plage.

• En se protégeant adéquatement contre les moustiques (anti-moustique avec 30-40 % de DEET, manches longues et pantalon, dormir sous une moustiquaire préalablement traitée si possible.

• En évitant, si possible, de voyager pendant la saison des pluies, car les insectes sont plus nombreux (en particulier les moustiques).

• Dans certaines zones, il est recommandé de prendre des anti-paludéens en prévention. Consulter un médecin en santé du voyageur !

Dis-moi comment tu voyages et je te dirai qui tu es

Choisir la bonne formule voyage

Pratiquer un tourisme responsable

Pratiquer un tourisme responsable commence par une prise de conscience de sa responsabilité de voyageur. Connaissez-vous la situation politique du pays que vous vous apprêtez à visiter ? L'histoire des peuples que vous côtoierez, leur culture ?... En ayant pris le temps de vous intéresser à leur passé, vous pourrez les aborder avec plus de délicatesse et peut-être mieux comprendre leur quotidien.

Priorisez des hébergements écotouristiques qui auront à cœur la protection de l'environnement en consommant de façon plus intelligente, par exemple en traitant les eaux usées, en utilisant l'énergie solaire et en redonnant une partie des profits à la communauté environnante grâce à des projets d'éducation et de santé.

Afin de diminuer votre impact sur l'environnement et d'aider à réduire les émissions de CO_2 générées par l'avion, vous pouvez par exemple « réduire » votre empreinte écologique en faisant appel à des organismes sans but lucratif tel que Planetair, qui s'engagent à réinvestir vos crédits carbone dans différents projets tels que le reboisement des zones urbaines, l'énergie éolienne, le traitement des eaux usées, la valorisation énergétique des biogaz, la récupération des gaz résiduels, la filtration de l'eau potable, la reforestation, le développement des microcentrales hydroélectriques, etc. Faites l'exercice par vous-mêmes : **planetair.ca**

Nous croyons qu'il est primordial d'essayer de soutenir certains projets dans les endroits que nous découvrons et que nous aimons revisiter. Pratiquer un tourisme équitable, c'est aussi essayer de ne pas encourager la dépendance de certains villages au tourisme, mais plutôt d'encourager la poursuite des activités traditionnelles comme l'agriculture, par exemple.

7 QUESTIONS SUR LE NOMADISME

Avec l'accès facile aux technologies, de plus en plus de personnes renoncent à leur mode de vie sédentaire et à leur *home sweet home*. Il est si facile aujourd'hui de transporter son bureau avec soi ! Certains sont constamment sur la route ; d'autres s'installent temporairement dans un coin du monde. Ce n'est cependant pas un mode de vie qui convient à tous. Plusieurs blogueurs – professionnels ou non – l'ont choisi. C'est le cas de **Corinne Stoppelli**, webdesigner née en Suisse. Après avoir entre autres vécu plusieurs mois à Taïwan, en Thaïlande et aux États-Unis, elle a posé son sac à Barcelone en 2014. On peut suivre ses pérégrinations sur son blogue *Vie nomade* (**vie-nomade.com**).

❶ Pourquoi le nomadisme ?
« *Pour libérer notre vie de valeurs et de contraintes qui ne nous conviennent pas et les remplacer par une dose quotidienne d'inspiration et de culture et une meilleure connaissance de soi. Pour partir à la rencontre de l'autre, de sa différence, qui vous donnera mille nouvelles pistes de réflexion sur votre propre vie. Pour prendre une route sur laquelle vous aurez le plus de chances de rencontrer des gens qui partagent les valeurs auxquelles vous êtes attachée et qui, comme vous, mettront tout en œuvre pour les respecter.* »

❷ À qui convient ce mode de vie ?
Aux personnes fortement indépendantes… ou à celles qui aspirent à le devenir. Être nomade c'est, dans une certaine mesure, se mettre en marge de la société et ne pas suivre les normes de sédentarité. Ne pas avoir d'adresse fixe est une barrière administrativement étrange. Vivre dans ses valises fait sourciller beaucoup de monde : ce n'est pas commun.
Il faut aussi être flexible… ou savoir le devenir. Professionnellement, il convient d'avoir un travail adapté à la route (le télétravail, par exemple) ou être prêt à effectuer des missions de travail temporaire dans chaque nouveau pays d'accueil élu au cours de ses voyages.

③ À oublier si…

… Le changement vous fait peur. À moins que vous n'ayez envie de dompter cette peur.

… Vous avez besoin de liens physiques forts avec votre entourage. À moins que vous n'ayez envie d'opérer un détachement salutaire !

… Vous avez besoin de repères et de sécurité matérielle (maison, finances). À moins que vous ne trouviez un moyen de gagner suffisamment d'argent pour vous permettre les deux choses (c'est possible) !

④ Ton meilleur conseil pour quelqu'un qui a envie de sauter le pas ?

Prendre le temps de bien se préparer et de ne rien négliger, mettre en ordre toutes les questions administratives avant le départ (assurances, santé, travail, contrats divers, etc.). Il me paraît très important de partir la tête aussi légère que possible, car le passage d'une vie plus ou moins routinière à la route quotidienne est un vrai choc culturel : il vous faudra savoir prendre beaucoup de recul et relativiser.

⑤ Être une fille, ça change quelque chose ?

On a tendance à bien plus s'inquiéter pour elles que pour les garçons. C'est certainement un peu injuste pour nos moitiés, mais en réalité, on fait spontanément plus confiance aux filles qui bénéficient plus facilement de soutien et d'aide. On est davantage porté à vouloir les protéger, car elles sont considérées comme plus fragiles… Non ! D'ailleurs, les filles sont perçues (à tort !) comme plus courageuses, du fait de cette étiquette de « sexe faible » qui leur colle à la peau. On pense toujours qu'un mec se démerdera sur la route bien plus facilement qu'une fille.

⑥ Les meilleurs endroits pour s'installer pendant quelques mois ?

Là où vous vous sentirez bien. Attendez de « ressentir » l'endroit qui vous convient. Je pense qu'il est sain de voyager lentement. Passer quelques mois au même endroit devrait selon moi être une norme. C'est ce qu'il faut pour commencer à comprendre une ville, une culture, une atmosphère.

De nombreux nomades commencent par la Thaïlande du Nord (Chiang Mai), réputée facile et « tourists friendly ». J'y ai moi-même vécu pendant un an et je le confirme. Il est aussi facile d'entrer dans la société thaïe que de rencontrer d'autres expatriés.

7 **Autre chose à ajouter ?**

Attention à l'addiction ! Difficile de faire marche arrière une fois que l'on s'est lancé. On apprend tellement sur soi et sur le monde à travers le voyage quotidien que ça en devient une drogue. En revenant à sa « vie d'avant » sans transition, après une trop longue période de liberté, le sentiment d'être mis en cage risquerait d'être très fort. Les pieds continueront de vous four-miller... Peut-être plus tard rejoindrez-vous les rangs de ces nomades qui voyagent en camping-car avec chiens, chats, enfants et antennes satellites !

VOYAGE À SAC À DOS

C'est quoi : L'une des formules de voyage les plus abordables, elle permet d'aller là où bon vous semble, afin de profiter du moment présent et de l'inspiration née des rencontres que vous faites en chemin. Sa philosophie ? Entrer plus facilement en contact et de façon plus authentique avec la population locale et minimiser les dépenses.

Pour qui : La baroudeuse de l'extrême, la fauchée, la caméléon, la fille d'Indiana Jones et l'éternelle étudiante.

Destinations phares : l'Asie du Sud-Est, la Bolivie, le Canada, l'Europe, le Guatemala et l'Inde.

Idées voyages : Selon l'inspiration du moment !

Astuce

Voyager avec sa meilleure amie

Sarah Dawalibi, 37 ans, et **Émily Zanier**, 34 ans, se sont connues alors qu'elles parcouraient toutes deux le Vietnam. Les deux Françaises ont depuis découvert plusieurs coins du monde ensemble. Auto-stop et CouchSurfing de Paris à Moscou pour assister à un concert de U2 (qu'elles ont pu voir gratuitement grâce à leur ingénieuse affiche indiquant : « Cherche un billet gratuit en échange d'un sourire » !), Brésil pendant trois mois, traversée du Canada en train, *road trips* un peu partout en Europe… Comment parviennent-elles à trouver l'harmonie en passant autant de temps ensemble ?

Leurs conseils :

1- Le meilleur : se donner de la liberté. Ne pas passer tout son temps ensemble. Visiter ce qui vous intéresse chacune de votre côté plutôt que de toujours faire des compromis.

2- Idéalement, voyager avec le même budget. Il est plus facile de partager les dépenses. Dans la même veine, **avoir les mêmes attentes en termes de confort.**

3- Partir avec des copines qui ont des **visions similaires du voyage.** Par exemple, deux filles qui ont l'habitude de voyager seules respecteront le désir d'indépendance de l'autre.

VOYAGE SUR-MESURE AVEC CHAUFFEUR ET GUIDE PRIVÉ

C'est quoi : L'option à considérer pour un itinéraire personnalisé, adapté à votre calendrier, vos goûts et intérêts, vos envies et besoins du moment, votre budget, vos expériences antérieures de voyage, le type d'hébergement désiré, la difficulté physique à respecter selon les activités envisagées, etc. Un conseiller en voyages spécialisé dans le sur-mesure pourra s'occuper d'embaucher un chauffeur et des guides locaux (souvent anglophones, mais il est aussi possible de trouver des francophones) pour la découverte d'attraits touristiques spécifiques ou d'un guide accompagnateur pour toute la durée du voyage. À noter que les guides locaux de ville et les guides accompagnateurs n'ont souvent pas la même formation, ils n'ont d'ailleurs pas le même statut professionnel et n'ont donc pas les mêmes attributions. Idéal si vous voyagez à deux.

Pour qui : La bobo, l'exploratrice urbaine, la gourmande, la première de la classe, la phobique à gogo et la serial shoppeuse.

Destinations phares : L'Afrique australe, l'Asie du Sud-Est, le Brésil, l'Indonésie, le Sri Lanka, la Tanzanie et la Turquie.

Idées voyages : Un safari en Afrique australe ou en Tanzanie en Jeep avec guide ranger privé, le nord-est de la Thaïlande ou la région de l'Issan et le nord du Laos, un duo Vietnam et la campagne plus isolée du Cambodge, les villes coloniales du Brésil, un combiné des îles de Bali et de Java en Indonésie, l'Inde du Sud et les grands sites bouddhistes du centre et de la côte ouest au Sri Lanka, et les régions de la Cappadoce et du Nemrut en Turquie.

VOYAGE EN AUTO-TOUR

C'est quoi : La découverte d'une destination de manière plus indépendante, en voiture, mais en ayant néanmoins préparé et réservé une bonne partie du voyage avant le départ par l'entremise d'une agence de voyages ou par vos soins : location de voiture, réservation des hébergements et peut-être même certaines activités. Vous serez vous-même au volant. Idéal pour des destinations plus touristiques, où les infrastructures et les routes sont plus développées et où la sécurité n'est pas un enjeu, mais on ne le dira jamais assez car cela arrive encore très souvent : **ne laissez jamais vos bagages sans surveillance dans la voiture, même pour quelques minutes, y compris dans des destinations plus touristiques.** Recommandé si vous êtes au moins deux.

Pour qui : La première de la classe, la hippie chic (en camping-car *Westfalia*), l'hyperactive et la chef de tribu.

Destinations phares : L'Afrique du Sud, l'Argentine, le Chili, le Costa Rica, les États-Unis, l'Équateur, l'Islande et le Portugal.

Idées voyages : La route des jardins en Afrique du Sud, la route des vins en Argentine, le désert d'Atacama et la région des lacs au Chili, la côte caraïbe ou la péninsule de Nicoya au Costa Rica, le tour des îles de Maui, Big Island et Kauai à Hawaï, les grands parcs de l'ouest américain et la Californie, la route du soleil en Équateur, un voyage photo en Islande et la côte portugaise.

VOYAGE EN MINI-GROUPE D'AVENTURE

C'est quoi : Un voyage qui vous permettra de pratiquer une activité ou de vous lancer des défis physiques (ascension d'un sommet, canot, escalade, kayak, randonnée, vélo, etc.) avec des personnes qui partagent votre passion. Pour certaines, c'est l'occasion de se mobiliser autour d'une cause qui leur tient à cœur afin d'amasser des fonds pour une fondation. Dans ce cas, la préparation débute plusieurs mois et même un an avant le départ, car elles devront organiser des activités de levée de fonds avec l'aide de la fondation et aussi s'entraîner. Si rester avec un mini-groupe pendant deux ou trois semaines vous paraît un peu trop long, sachez qu'il est possible de prendre part à des excursions dites regroupées (« *pool* ») de quelques jours seulement (avec clientèle internationale et guide anglophone ou francophone).

Pour qui : La phobique à gogo, l'hyperactive, la Mère Teresa *(pour recueillir de l'argent pour une fondation ou une ONG)*.

Destinations phares : L'Argentine, le Chili, le Costa Rica, l'Espagne, le Maroc, la Namibie, le Népal, le Pérou et la Tanzanie.

Idées voyages : La Patagonie chilienne et argentine, le vélo à Cuba, le chemin de Compostelle en Espagne, les randonnées dans le désert du Namib et les safaris au Parc national d'Etosha en Namibie, le mont Toubkal au Maroc, les randonnées au travers des Annapurna ou vers le camp de base de l'Everest au Népal, les randonnées du Camino inca ou du Salcantay menant au Machu Picchu au Pérou et l'ascension du Kilimandjaro via diverses routes de Tanzanie.

Agence qui regroupe des voyageuses mordues de randonnée : Ladies Trekking Club : ladiestrekking.com/

VOYAGE GASTRONOMIQUE

C'est quoi : Goûter aux spécialités culinaires d'une région, d'un pays, fait partie intégrante de l'expérience du voyage ! Vous serez surprise d'en apprendre bien plus que vous auriez imaginé sur une culture par sa gastronomie. Un guide local, en privé ou en groupe, peut vous faire découvrir des petits bijoux : du restaurant gastronomique arborant une étoile Michelin en passant par les écoles de cuisine, le restaurant familial où se côtoient plusieurs générations, le boui-boui installé au coin d'une rue et le bar à sushis et saké sous un viaduc. C'est aussi l'occasion d'un « retour à la terre » ! Découvrez les produits du terroir, suivez un cours de cuisine en famille, rencontrez des vignerons, participez aux vendanges, dégustez le fruit de la récolte et, pourquoi pas, optez pour un hébergement sur place !

Pour qui : L'éternelle étudiante, la gourmande et la première de la classe.

Destinations phares : L'Afrique du Sud, l'Argentine, le Chili, l'Espagne, la France, l'Italie, le Japon, la Malaisie, le Pérou, Singapour, la Thaïlande, la Turquie et le Vietnam.

Idées voyages : La route des vins en Afrique du Sud, les vignobles du nord de l'Argentine et du Chili, Bilbao au Pays basque, les vignobles de France, la Toscane et Parme en Italie, Tokyo au Japon, Georgetown sur l'île de Penang en Malaisie, Lima au Pérou, Singapour, Bangkok et Chiang Mai en Thaïlande, Istanbul en Turquie et Hanoï et Hoi An au Vietnam.

VOYAGE « RANDONNÉE EN LIBERTÉ »

C'est quoi : La découverte d'une destination de manière plus indépendante (sans guide et sans chauffeur), à pied, mais en ayant néanmoins préalablement préparé et réservé une bonne partie du voyage avant le départ par l'entremise d'une agence de voyages : encadrement avant le départ afin de bien vous préparer physiquement, réservation des hébergements (souvent des refuges), transport de vos bagages du point A au point B, carnet de route détaillé et cartes de randonnée. Idéal pour des destinations où les sentiers de randonnée sont balisés et sûrs. Recommandé si vous êtes au moins deux.

Pour qui : L'hyperactive, la fille d'Indiana Jones et la fauchée.

Destinations phares : L'Europe et le Maroc.

Idées voyages : Le GR20 en Corse, la Croatie, l'île de Skye en Écosse, Lanzarote et Tenerife aux îles Canaries en Espagne, le tour du Mont-Blanc en France, les Cinque Terre en Italie, Madère, la vallée des roses au Maroc et la Sardaigne.

VOYAGE « BIEN-ÊTRE »

C'est quoi : De plus en plus de femmes souhaitent ajouter à leur périple une dimension spirituelle et santé. Elles éprouvent le besoin de partir pour se retrouver et se recentrer sur l'essentiel. La pratique d'une activité de relaxation quotidienne comme le yoga, dans le cadre d'une retraite d'une semaine par exemple, est une façon de faire le vide, d'évacuer le stress et de partager des moments privilégiés avec d'autres personnes qui ont les mêmes aspirations.

Pour qui : La hippie chic, la phobique à gogo, l'éternelle étudiante et la bobo.

Destinations phares : Cuba, le Costa Rica, Bali, le Honduras, le Mexique et l'Inde.

Idées voyages : Une retraite yoga-salsa à La Havane à Cuba, une retraite de méditation au milieu des rizières de Bali, un combiné yoga et activités sportives à Roatán ou Útila, au Honduras, une retraite de bien-être sur les plages de la péninsule du Yucatán au Mexique, un voyage spirituel dans la région de l'Himachal Pradesh au nord-ouest de l'Inde et une cure de traitements ayurvédiques dans la région du Kérala au sud de l'Inde.

VOYAGE DE COOPÉRATION HUMANITAIRE

C'est quoi : La possibilité de s'impliquer dans un projet humanitaire et de défendre une cause qui nous tient à cœur. C'est aussi l'occasion de demeurer plus longtemps dans un lieu précis afin de mieux connaître le mode de vie de ses habitants.

Si vous avez des compétences particulières et qu'elles sont recherchées sur place, cela facilitera l'obtention de votre visa, s'il s'avère nécessaire.

« *Malheureusement, de nombreuses organisations ne font que mettre un tout petit pansement sur de très grandes blessures,* observe Catherine Lefebvre, nutritionniste, auteure et journaliste voyage, qui a participé à plusieurs projets liés au développement international. *Il ne faut donc pas s'attendre à changer le monde en allant creuser un puits pendant deux semaines en Afrique ni en allant construire une école en Amérique centrale où il n'y aura probablement pas de profs pour y enseigner. Les projets les plus durables sont généralement ceux qui sont initiés par la communauté elle-même et qui se développent plus lentement, mais plus sûrement.*

Sur une note plus joyeuse, il existe une foule de coopératives artisanales ou alimentaires partout dans le monde. C'est toujours chouette de les visiter et de les encourager en achetant leurs produits. Ça permet d'aider l'économie locale et de rapporter des souvenirs un peu plus originaux et typiques, surtout si vous avez rencontré ceux qui les ont conçus. »

Pour qui : La fauchée, la caméléon, la Mère Teresa et l'éternelle étudiante.

Destinations phares : Le Burkina Faso, le Cameroun, le Cambodge, le Guatemala, l'Inde, le Laos, la Mongolie, le Népal, le Pérou, les Philippines et le Sénégal.

Idées voyages : Travailler dans les jardins de plantes médicinales pour soigner les familles en régions isolées des montagnes du Guatemala, contribuer à l'éducation générale des orphelins tibétains en exil en Inde et au Népal, participer à un projet d'entraide auprès des enfants orphelins au Pérou par l'entremise des Sœurs Ursulines, apporter votre expertise aux projets d'aide à la petite entreprise (microfinance) aux Philippines et replanter les mangroves au Sénégal. Les possibilités sont nombreuses !

Quelques pistes :
Friends International : friends-international.org/
Librairies nomades en Mongolie : tourmongolia.com/ ?p=291#more-291

VOYAGE EN TRAIN

C'est quoi : Pour certaines, le train est une destination en soi. Il devient la motivation même d'un voyage. Il est parfois possible de faire des escales ; d'autres trajets vous conduisent d'un point A à un point B dans des endroits plus ou moins accessibles par la route. Le train permet parfois de sortir des circuits touristiques classiques ou de rejoindre des villages où les voitures ne se rendent pas, comme en Suisse. En plus d'offrir une délicieuse parenthèse et l'occasion de voir défiler le paysage, le train offre l'opportunité de faire des rencontres surprenantes avec les voyageurs partageant votre cabine, autour d'un thé.

Pour qui : La fleur bleue, la bobo et la première de la classe.

Destinations phares : L'Autriche, le Canada, la Chine, la Bulgarie, l'Inde, la Mongolie, la République tchèque, la Russie et la Suisse.

Idées voyages : Le Transmongolien de Beijing à Ulan Bataar (ou Oulan-Bator), le Transsibérien de Moscou à Vladivostok en passant par Saint-Pétersbourg, le Canadien de Toronto à Vancouver, l'Orient-Express de Paris à Istanbul, le Maharajas'Express en Inde et le triangle Prague-Vienne-Budapest.

TOUR DU MONDE

C'est quoi : Faire le tour du monde, c'est l'expérience d'une vie ! Certaines entreprises et l'assouplissement des contraintes professionnelles permettent aujourd'hui de prendre un congé sabbatique après quelques années de loyaux services. Vous pourrez donc partir l'esprit tranquille à la découverte du monde en sachant que votre emploi vous attend au retour. Ce genre de voyage demande une préparation d'environ six à douze mois. Si vous optez pour réserver un billet d'avion nommé « tour du monde », sachez que vous devrez généralement élaborer votre itinéraire en allant dans une seule direction : d'est en ouest ou l'inverse. En d'autres mots, vous ne pourrez pas revenir sur vos pas. Attention toutefois, contrairement aux apparences, le prix n'est pas forcément plus avantageux qu'en achetant des segments de vol séparés, d'un endroit à l'autre, via des réservations à la pièce.

Pour qui : La baroudeuse de l'extrême, la caméléon, l'éternelle étudiante et la fille d'Indiana Jones.

Destinations phares : La planète entière !

Idées voyages : Plusieurs itinéraires possibles, mais un exemple de trajet aérien : Los Angeles-Fiji-Sydney-Bangkok-Delhi-Johannesbourg-Amsterdam-Buenos Aires-Lima-Mexico.

Conseils de pro :

TOUR DU MONDE « 101 »

À 23 ans, la Québécoise **Sabrina Dumais** a empoigné son sac à dos et pris d'assaut les routes du monde. Dans son blogue *Je le fais pour moi*, elle a relaté ses aventures de façon très intime et littéraire. Deux ans après son retour, nous lui avons demandé de revenir sur son expérience.

« Ce que je suggère aux voyageuses, c'est de se laisser le plus de flexibilité possible, dit-elle. *L'itinéraire est une idée de base et permet de dresser une ligne directrice, mais celle-ci ne doit pas être trop contraignante, sans quoi on perd le plaisir et l'essence même du voyage.*

Je recommanderais également de faire une liste des pays nécessitant des visas et de noter des informations quant aux délais d'attribution et aux coûts de ceux-ci pour ne pas avoir de mauvaises surprises. Par exemple, j'ai payé une petite fortune pour un visa ouzbek qui ne m'a pas été délivré à temps...

Je conseille aussi de réduire son sac au minimum et de faire l'exercice cinq fois pour en enlever tout le superflu (rires !). *J'aurais aimé qu'on insiste sur ce point (dixit la fille qui traînait en moyenne quatre à cinq bouquins d'un pays à l'autre). L'essentiel : des chaussures confos, des vêtements amples et une trousse de premiers soins, parce qu'il faut être prête à mourir à tout instant ! »*

La Belge **Mélissa Monaco** a, quant à elle, décidé de s'offrir le tour du monde dont elle rêvait depuis des années pour ses 40 ans. Sur son blogue *Mel loves travel* (**mellovestravels. com**), elle a publié de nombreux billets pratico-pratiques sur la préparation, mais aussi pendant son périple.

Ce qui a déclenché son désir d'évasion à ce moment précis de sa vie ? « *Je rêve de parcourir le monde depuis toute petite, quand j'étais assise devant mon globe terrestre. J'y pensais de plus en plus sérieusement quand, il y a deux ans, j'ai été renversée par une voiture. J'ai eu beaucoup de chance et pas trop de dégâts, mais pendant un repos forcé de deux mois, j'ai beaucoup réfléchi et le fameux cliché "la vie est trop courte" s'est imposé à moi. Ça coïncidait également avec l'approche de mes 40 ans. Finalement, cet accident s'est avéré être la petite tape dans le dos pour oser franchir le pas. Quelques semaines après mon retour au travail, j'avertissais mon employeur que je prendrais une pause-carrière dans l'année qui suivait.* »

Ce qu'elle aurait aimé qu'on lui dise avant le départ ? « *Qu'il y aurait de GRANDS moments de solitude. Je m'y attendais un peu, mais quelquefois, il faut être à l'aise avec sa propre compagnie pendant un temps assez prolongé.* »

Et pour l'argent ? « *Lorsque vous faites votre budget, laissez-vous une très grosse marge pour les imprévus, craquage et autres excursions qu'on ne peut pas louper, mais qui sont hors de prix. Ce serait dommage de faire un tour du monde et d'en sortir frustrée pour des questions d'argent.* »

« *Mon meilleur conseil,* conclut-elle, *celui que je donne à tous ceux qui me disent "Ah là là ! Quelle chance tu as, j'aimerais bien faire comme toi !", c'est simple, il suffit de dire dès maintenant : "Je vais travailler à concrétiser le tour du monde dont je rêve"… »*

VOYAGE POUR CÉLIBATAIRES

C'est quoi : L'occasion de rencontrer des gens sympathiques, de pratiquer une activité sportive et de partager vos passions avec d'autres célibataires. De nombreuses agences de voyages ont compris que le célibat n'est pas un frein pour partir à l'aventure à l'étranger. Toutefois, toutes les femmes ne se sentent pas à l'aise pour partir seules, sans encadrement. Les séjours thématiques peuvent constituer une option intéressante.

Pour qui : La fleur bleue, la dragueuse en série et l'hyperactive.

Destinations phares : L'Amérique du Nord, l'Espagne, la France, le Panama et la République dominicaine.

Idées voyages : Barcelone en Espagne, la côte est américaine, Cabarete en République dominicaine, les vignobles du Chili et de la France, la Corse, les îles de Bocas del Toro au Panama.

Quelques pistes :

Bougex (bougex.com), pour les sportifs (France et Québec) ; **Célibafou (celibafousdepleinair.com)**, groupe de célibataires amateurs de plein air, de culture et de bon vin ; **Partir seul (partirseul.com)**, agence de voyages pour personnes seules qui souhaitent voyager en petits groupes selon un thème défini ; **Vacances célibataires (vacances-celibataires.net)**, regroupement d'agences de voyages pour personnes seules ; et **C pour nous (cpournous.com)**, agence de voyages souhaitant clairement rapprocher hommes et femmes seuls, le temps d'un voyage.

CROISIÈRES

C'est quoi : Il existe des croisières pour tous les portefeuilles et tous les âges. Malgré les apparences, les croisières ne sont pas que fréquentées par les voyageurs d'âge mur, même s'ils constituent la clientèle principale.

Les croisières sur gros paquebot (transportant plusieurs centaines et même milliers de voyageurs) sont une bonne façon d'avoir un aperçu de plusieurs endroits, afin de peut-être y revenir plus tard. En contrepartie, elles peuvent être frustrantes si vous aimez prendre votre temps puisque vous n'aurez souvent que quelques heures pour visiter une île ou une ville portuaire. Elles offrent une sélection inimaginable d'activités, d'animations à bord (casino, spectacles, sports, parcs aquatiques, etc.), suivant parfois certaines thématiques (cinéma, gastronomie, familles, etc.). Vous pourrez aussi joindre une croisière de repositionnement des navires, entre deux saisons touristiques, par exemple entre l'Europe et les Caraïbes, afin de profiter d'un trajet inhabituel.

Les croisières fluviales, à bord de plus petits navires souvent luxueux ou péniches, permettent de faire étape dans les villes fétiches d'Europe, par exemple, ou de naviguer sur des fleuves mythiques comme l'Amazone ou le Nil. Par ailleurs, le supplément en occupation simple pour les croisières fluviales (transportant une centaine de voyageurs ou un peu plus) est souvent moins élevé que les croisières à bord d'un paquebot.

Si vous avez envie de traverser l'océan et à moindre coût (du moins, la plupart du temps), embarquez sur un **cargo**, tout aussi sûr que les autres types de bateaux (quoique peut-être moins confortable) et n'exigeant généralement pas de supplément simple. Attention, le nombre de places disponibles est souvent restreint (souvent 12 maximum).

Règles d'or pour voyager en cargo :

- Soyez prête à vous divertir par vous-même. Il n'y a pas d'activités proposées à bord (à l'exception de l'exercice de sécurité en cas de naufrage !).
- Allez-y pendant que vous avez la forme. Il n'y a pas de médecin à bord et beaucoup d'escaliers à monter !
- Vérifiez que votre assurance voyage couvre ce genre de déplacement.
- Soyez flexible. Les horaires changent fréquemment. Vous devrez peut-être prendre deux ou trois navires différents avant d'atteindre votre destination.
- Réservez à l'avance. Les cabines sont limitées et les itinéraires les plus populaires peuvent être vendus des mois à l'avance.
- Ne pensez pas à travailler en échange de votre passage. La plupart des règles syndicales ne l'autorisent plus.
- Prévoyez des réserves de médicaments contre la nausée !

Une autre belle alternative afin de sortir davantage des sentiers battus est de faire une **croisière en voilier/catamaran** (transportant une dizaine de personnes ou moins). Vous aurez aussi l'opportunité de participer aux manœuvres si souhaité. Un vrai sentiment de liberté ! Toutefois, il faut accepter de vivre pendant une ou deux semaines dans un endroit plutôt confiné.

Pour qui : Miss cocktails des îles, la chef de tribu, la phobique à gogo, la serial shoppeuse, l'hyperactive *(pour les croisières en voilier/catamaran)* et l'exploratrice urbaine *(pour les croisières fluviales en Europe)*.

Idées voyages en paquebot : L'Antarctique, l'Alaska, les Caraïbes, les fjords de Scandinavie et la Méditerranée.

Idées voyages en plus petits navires ou péniches : Les grands fleuves d'Europe : le Danube, la Tamise, le Rhin, mais aussi le fleuve Amazone au Brésil, le fleuve Nil vers les pyramides en Égypte, les îles Galapagos en Équateur et le Bou El Mogdad sur le fleuve Sénégal.

Idées voyages en voiliers/catamarans : Les Bahamas, la côte dalmate en Croatie, la Crète, les îles Vierges britanniques, la Martinique, les îles de la Micronésie, la Nouvelle-Zélande et les îles turques.

LA FORMULE « TOUT COMPRIS »

C'est quoi : Des vacances sans prise de tête dans un complexe hôtelier, souvent de plus grande taille, où tous les frais sont inclus dans le prix payé au moment de la réservation : vol, transfert aéroport/hôtel aller-retour, hébergement, repas sous forme de buffet ou dans des restaurants à la carte, boissons locales, animations s'il y a lieu, équipements sportifs et aquatiques. Une foule d'excursions peuvent être réservées sur place par le représentant à destination du grossiste en voyage auprès duquel vous aurez réservé votre forfait. Parfait pour celles qui ont besoin de repos ! Mais attention, plusieurs complexes hôteliers mettent l'accent aussi sur l'animation (activités sportives en groupe à la piscine, spectacles en soirée de « *lip sync* » et d'humour, discothèque, etc.). Donc, si vous ne ressentez pas « l'appel du karaoké », il est important de bien vous informer sur les animations avant votre départ !

Pour qui : La Miss cocktails des îles, La dragueuse en

série, la gourmande, la phobique à gogo et la chef de tribu. **Destinations phares :** Les Caraïbes, la Méditerranée, le Mexique et la Tunisie.

Idées voyages : Les Clubs Med, les Clubs Lookéa et toutes les grandes chaînes hôtelières (Barceló, Breezes, Iberostar, Meliá, Riu, Sandals, etc.).

COMMENT SURVIVRE AUX « TOUT COMPRIS » EN 5 ÉTAPES FACILES

Les vacances, c'est fait pour se re-po-ser. Pas question pour vous de jouer les Wonder Woman : cette semaine, faire la crêpe en solo vous apparaît comme la plus délicieuse idée depuis l'invention de la valise à quatre roulettes. Une chose vous terrorise, cependant. Ce n'est ni le cafard qui voudra peut-être vous servir de coloc, ni le crisse de buffet de pâtes toujours trop cuites. Non, la source de votre angoisse s'avère plutôt être... vos semblables. Comment survivre au contact de ces créatures grégaires à l'haleine chargée de bière ?

1- Apprenez à vous taire

C'est bien connu : le vacancier est sociable du petit déjeuner jusqu'au spectacle beaucoup trop long présenté en fin de soirée. Un hôtel, pour lui, c'est comme la colonie de vacances de jadis : il veut se faire des amis à tout prix, et vite. Pour éviter de vous retrouver prise en otage par ces créatures toujours prêtes à attaquer avant même le premier café, c'est simple : restez coite. Vous ne parlez ni français, ni anglais, ni serbo-croate. Votre mutisme vous fera peut-être passer pour une débile légère (ou profonde, selon l'intensité de votre jeu), mais c'est un bien petit prix à payer en comparaison du flot de paroles qui vous aurait étouffée si vous aviez ouvert la bouche.

2- Maîtrisez l'art de l'esquive

Dès qu'un spécimen envahit votre espace vital, intéressez-vous subitement aux règlements de la plage qui se trouvent dans votre champ de vision. Quelqu'un cherche à établir un contact visuel ? Vous venez d'apercevoir ce pote juste derrière lui et avez très hâte de le retrouver. En cas d'attaque groupée, ne baissez pas pavillon : répétez simplement « chikungunya » avec un air très *walkingdeadien*, puis dirigez-vous précipitamment vers les toilettes les plus proches.

3- Cultivez votre solitude

Maintenant que tout le monde vous croit soit a) dérangée b) sourde et muette c) contagieuse d) morte-ou-presque, ce n'est pas le moment de commander « deux œufs bacon » devant tout le monde, hein ? Jouez les recluses volontaires. Optez pour la table du fond au resto, pour le transat du bout à la plage ou pour le bar le moins fréquenté. Évitez les caïpirinhas qui se boivent comme du jus et délient les langues beaucoup trop facilement (au point que vous risquez de retrouver la vôtre dans la bouche de quelqu'un d'autre).

4- Optez pour un régime à base de légumineuses

Dans plusieurs destinations des Caraïbes, on trouve des fèves, des lentilles ou des pois dans les plats. Laissez-vous aller ! Quoi… C'est tout ? Vous en reprendrez bien un peu, non ? Même pas avec ces pâtes juste assez cuites qui sentent l'ail à plein nez ? Ah ! Je savais bien que vous ne pourriez résister !

5- Relâchez les tensions

Maintenant que plus personne ne peut vous sentir – un vacancier prétend même que vous causez plus de gaz à effet de serre à vous seule qu'un troupeau de vaches entier (oui, qu'on vous croit sourde a de bons côtés), profitez vraiment du voyage. Allez explorer les environs. Piquez une tête dans la piscine. Sortez danser jusqu'aux petites heures de la nuit. Quoi ? Vous vous sentez seule ? Mais non ! Vous avez seulement besoin de vacances… de vos vacances !

P.-S. : Ne nous remerciez surtout pas.

Les 15 destinations
coups de cœur d'Ariane :

Longtemps baroudeuse de l'extrême et caméléon, maintenant plus proche de la hippie chic. Ariane restera toujours une Mère Teresa… et une grande fleur bleue.

💜 **Birmanie.** Les voyages les plus significatifs de ma vie ! Pour les plus beaux sourires, les randonnées dans la région de Kalaw, parsemée de stupas blancs et de rhododendrons fuchsias, les soirées à rigoler en fumant des cigares birmans autour du feu avec les gens, la lutte d'un peuple sous dictature depuis 1962, les deux milles pagodes orangées des plaines de Bagan à découvrir à vélo, les pêcheurs inthas ramant avec une jambe…

💜 **Thaïlande.** J'y reviendrai toujours ! Pour les découvertes en scooter de temples bouddhistes cachés dans les grottes, les mois passés à naviguer en voilier afin de découvrir des îles et des plages encore désertes, les currys épicés, les plantations de thé des villages chinois et laotiens au nord de Chiang Rai, les pagodes flamboyantes, le mouvement fou de Bangkok…

💜 **Indonésie.** Aussi grande que le Canada, chaque île est un voyage en soi. Pour les rizières d'un vert étincelant de Bali, les cérémonies aux offrandes balinaises, l'ascension des volcans à Java, les dragons de Komodo à Rinca, les lagunes multicolores au creux des cratères, les villages matriarcaux de Florès, les tortues des îles Gili…

♥ **Mongolie.** Il faut arriver à Oulan-Bator par le train Transmongolien au départ de Beijing ! Pour les steppes verdoyantes parsemées de yourtes blanches, la balade en chameau vers les dunes chantantes de Khongoriin Els, les *ovoo* à prières où les écharpes bleues battent au vent, l'hospitalité mongole et la vodka avec les grands-mères, prendre soin des troupeaux de chèvres en famille, la randonnée sur la rivière glacée des gorges de Yolyn Am, les canyons orangés de Bayanzag où l'on retrouve des fossiles de dinosaures...

♥ **Népal.** J'y ai entre autres guidé un groupe vers le camp de base de l'Everest pour amasser des fonds pour la recherche sur le cancer. Pour les randonnées dans les Annapurnas, les temples tibétains et leurs moulins à prières, le transport de nuit sur le toit des autobus en temps de conflit maoïste, la vallée de Katmandou, le safari à Chitwan, l'architecture de Patan...

♥ **Sri Lanka.** Là où j'ai vraiment compris les origines du bouddhisme. Pour le bain des éléphants orphelins de Pinnawala dans la rivière, les plantations de thé d'une colline à l'autre, la charmante ville portuaire de Galle aux influences portugaises, les jardins d'épices, les safaris au parc de Yala, les baleines bleues en permanence à Mirissa...

♥ **Îles Andaman, Inde.** Pour la plage de Radhanagar, la n°5, nommée de nombreuses fois par le *Time Magazine* parmi les plus belles au monde, pour la forêt enchantée, la plongée avec l'éléphant Rajan et la bouffe indienne (la meilleure !). Par ailleurs, je trouve extraordinaire que certains peuples arrivent encore à vivre coupés du monde extérieur. C'est le cas des habitants de certaines des 600 îles Andaman et Nicobar, qui sont protégées par le gouvernement !

♥ **Israël.** Un monde à part ! Pour le fort caractère des Israéliens, le village de pêcheurs arabes d'Akko, la vie nocturne de Tel Aviv et son quartier bohème de Neve Tsedek, le « *ful* » (hummus, pois chiches, tahini et fèves : un vrai yin et yang), les champs d'oliviers de Dalyat, la mer Morte dans laquelle on peut flotter, la forteresse de Masada, les vestiges romains de Césarée…

♥ **Namibie.** Un paradis pour l'œil du photographe ! Pour le lever du soleil du haut des gigantesques dunes orangées de Sossusvlei, les safaris à la découverte des « *Big Five* », le peuple semi-nomade Himba recouvert de poudre rouge ocre luttant pour préserver leurs traditions, la randonnée au creux du « *Fish River* », le deuxième plus imposant canyon au monde, le peuple Herero, portant des vêtements des années 1920…

♥ **Madagascar.** Le plus beau voyage de noces ! Pour sa biodiversité (caméléons, lémuriens…) au parc Ranomafana, la randonnée au massif de l'Isalo, la plongée aux îles de Sainte-Marie, la descente de la rivière Tsiribihina, les nuits en camping sur la plage et la douche matinale sous la chute, l'escalade de la forêt rocheuse des Tsingy de Bemaraha, l'allée des Baobabs, les peuples de pêcheurs nomades Vezos…

♥ **Bahamas.** L'un des meilleurs endroits pour faire de la voile ! Pour les dégradés de bleu, les petits requins, le peuple sympathique, la plongée au travers des récifs encore bien préservés, le farniente, les îles désertes protégées, l'accessibilité (depuis le Québec)…

♥ **Panama.** Pour le paradis perdu des îles San Blas et son peuple fort et déterminé des Kunas, les vieux quartiers de Panama City, les plantations de café de la région de Boquete, la tyrolienne, l'ascension du volcan Barú, le plus haut d'Amérique centrale, les autobus locaux, la plongée à Coiba…

♥ **Équateur.** Un rêve ! Pour les îles uniques des Galapagos, à découvrir en croisière, et la plongée avec les requins marteaux, les volcans en activité, les marchés authentiques de l'Amazonie, Quito la rose, l'une des plus belles villes d'Amérique du Sud, les soupes repas, la balade à cheval autour de la lagune turquoise de Quilotoa…

♥ **Venezuela.** L'Or vert de l'Amérique ! Pour une vraie expédition aux chutes Salto Ángel, les plus hautes au monde, les impressionnants paysages de rochers Tepuy, les passages secrets derrière les immenses chutes, les toucans, prendre son premier café et le petit déjeuner en barque sur les rivières isolées du delta de l'Orinoco, passer ses journées sur un îlot de sable des îles de Los Roques, avec seulement un parasol, une chaise, un goûter et d'immenses coquillages…

♥ **Turquie.** En pleine évolution ! Pour admirer le lever du soleil du haut d'une montgolfière, les bazars d'épices, la vie animée d'Istanbul, les majestueuses mosquées, la randonnée en Cappadoce parmi les maisons troglodytes, les délicieux mezzés, la voile dans les îles à partir de Marmaris, les bains de boue…

Les 15 destinations coups de cœur de Marie-Julie :

Ex-Wannabe baroudeuse de l'extrême, elle est aujourd'hui plus souvent bobo, mais toujours phobique à gogo (sans Xanax) et souvent hyperactive. Se croit beaucoup plus « fille d'Indiana Jones » qu'elle ne l'est vraiment. Voyage parfois en « tribu ». A aussi des épisodes de « miss cocktails des îles » parfaitement assumés !

♥ **Thaïlande.** Le pays idéal pour moi : infrastructures touristiques hyper bien rodées, accessibles à toutes les bourses, plages de rêve, multiples possibilités de trekkings en montagne, histoire fascinante, plongée sous-marine, vie nocturne trépidante et de divines spécialités culinaires. Pour le luxe comme pour les auberges à petits prix, en mode solo, en famille ou entre amis.

♥ **Taïwan.** J'y ai vécu pendant un an et demi, mais je n'ai pas eu le temps de tout voir. On y retrouve l'essence de la culture chinoise, avec un mélange des influences des différentes époques coloniales. Une destination qui s'apprivoise peu à peu et plaît autant à la citadine qu'à l'amoureuse des montagnes.

♥ **France.** Pour l'histoire, la littérature, la culture, les pâtisseries (!), le bon vin, la diversité, les multiples possibilités de randonnées et de découvertes. Et pour Paris, bien sûr !

♥ **Haïti.** Première impression : un bout d'Afrique

de l'Ouest posé dans les Caraïbes. Bien sûr, on constate rapidement les subtilités, mais il faut s'attendre à un choc plus grand que dans les îles voisines. Haïti, c'est à la fois le drame et la fête, les plaies encore vives et l'incroyable richesse culturelle. Des plages et des montagnes à couper le souffle, et des spécialités culinaires qui ravissent les papilles. Pour l'univers de Dany Laferrière, aussi.

♥ **Canada.** Il ne faut pas l'aborder comme un seul pays, mais comme plusieurs. Je suis tombée follement amoureuse du nord, tant au Yukon qu'au Manitoba. J'ai beau avoir grandi au Québec, ma province me surprend constamment. Vancouver est pour moi la ville idéale pour mille raisons, entre autres à cause de la présence de la mer et des montagnes. Je ne m'en lasse pas !

♥ **Sénégal.** Voyager en Afrique de l'Ouest demande une certaine adaptation. Le Sénégal reste sans doute l'un des pays les plus accessibles de la région. On y va pour la chaleur des gens, les marchés – ô combien épuisants, mais toujours divertissants ! –, les plages de la Petite-Côte, l'humour des Sénégalais, les fascinantes caractéristiques de chacune des ethnies… Plus facile de s'y balader avec un guide ou après avoir tissé des liens avec des *locaux.*

♥ **Grèce.** Je. Suis. Folle. De. La. Grèce. Pour l'histoire avec un grand H, la mythologie, le yaourt, le bleu de la mer, les îles et Athènes au petit matin, avant que la ville s'éveille.

♥ **Turquie.** Pour les paysages lunaires de la Cappadoce, Istanbul et ses marchés, l'histoire et les loukoums. Pour la basilique Sainte-Sophie aussi, qui m'a prise aux tripes.

♥ **Italie.** Pas seulement à cause de ses charmants vignerons et de sa gastronomie (!) : aussi pour ses villages qui, chaque fois, m'apparaissent plus jolis que les précédents visités. Pour la fabuleuse Rome, les richesses historiques et culturelles, et le *gelato*. (Beaucoup pour le *gelato*.)

♥ **Espagne.** Pour l'intensité, la mode colorée, la joie de vivre, la chaleur, les tapas, le vin, Dali et le sens de la fête.

♥ **Martinique.** Pour l'eau cristalline, les akras, le ti-punch, le métissage et l'accueil chaleureux des Martiniquais. La France dans les Caraïbes.

♥ **Oman.** Pour un vrai dépaysement, dans un lieu où les touristes ne sont pas encore trop envahissants. Pour les campements dans le désert, les *wadi* (oueds) et le paysage rocailleux, aussi rebutant qu'incroyablement photogénique.

♥ **Croatie.** Dubrovnik est peut-être fabuleuse hors des périodes de pointe : en haute saison, elle m'est apparue comme un enfer. Ce sont surtout Rovinj, Split et Mijet (là où Ulysse aurait été retenu « prisonnier » par Calypso pendant sept ans – pffff !) qui m'ont charmée.

♥ **Suisse.** Je me frotte encore les yeux, me demandant si j'ai rêvé ces paysages aussi parfaits. Pas étonnant qu'autant de films bollywoodiens soient tournés dans les Alpes suisses : on s'y SENT comme dans un décor. Pour la région de la Jungfrau, la facilité des voyages en train, la fondue, la raclette, la crème double (avec fraises et meringues, MIAM) et le yodel, qui accroche immanquablement un sourire aux lèvres. Mais oui : le coût de la vie y est élevé.

♥ **Costa Rica.** C'est pour moi l'ultime destination familiale. Rando, animaux, aventure, plages de rêve, volcans, flore diversifiée… À se demander si on n'a pas rêvé.

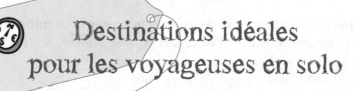

Destinations idéales pour les voyageuses en solo

Voyager seule peut présenter un défi. Certains pays ou régions sont plus accessibles que d'autres. Quelques suggestions basées sur :
• La facilité à communiquer
• La sécurité
• La place qu'occupe la femme dans la société
• L'hospitalité du peuple
• L'offre des moyens de transport

1- Dans son propre pays : La destination la plus accessible, mais aussi celle qui pourrait vous réserver le plus de surprises ! On s'attend toujours à avoir des chocs culturels dans des contrées très exotiques, alors on s'étonne toujours de découvrir des choses qu'on ignorait chez soi.

2- Canada et **États-Unis** : Pour les infrastructures, les services touristiques développés et disponibles, la beauté des paysages et la facilité de communiquer en anglais et en français, dans le cas de certaines régions.

3- Pays francophones d'Europe : Pour la facilité des échanges ainsi que pour la place plus égalitaire qu'occupe la femme.

4- Pays scandinaves, germanophones et du Royaume-Uni : On s'y débrouille assez facilement en anglais et les droits de la femme sont respectés.

5- Thaïlande, Laos, Vietnam, Cambodge, Birmanie, Singapour et Bali en Indonésie : Vous vous sentirez en sécurité, peut-être même plus que dans votre propre pays.

De plus, vous aurez l'occasion de rencontrer de nombreux voyageurs en solitaire. En revanche, ne prenez pas pour acquis que tout le monde parle anglais : ce n'est pas le cas partout, surtout loin des grandes villes.

6- Cuba : Plus facile si vous possédez des rudiments d'espagnol. Les hommes, sous des dehors un peu machos, sont très respectueux.

7- Costa Rica et **Panama** : Habitées par de nombreux expatriés, ces destinations de plus en plus prisées sont assez accessibles et on y circule sans problème. Il est facile de conduire vous-même dans ces pays ou, dans les régions plus touristiques du Costa Rica, de recourir au service efficace de navette entre les hôtels.

8- Équateur : Relativement sûr, ce pays est très apprécié des familles. La voyageuse occidentale s'y sent souvent plus à l'aise que chez les voisins des Andes, puisqu'on y est moins confronté à la misère, la situation financière de ses habitants étant nettement meilleure.

9- Argentine et **Chili** : Le mode de vie y est assez semblable à certains pays d'Occident, surtout au Chili. Il est facile et sûr de s'y aventurer, même en conduisant toute seule.

10- Japon, **Corée du Sud** et **Taïwan** : Pays parmi les plus sûrs et les mieux organisés. Prévoyez toutefois un budget plus conséquent ou, le cas échéant, un séjour plus court que ce que vous prévoyiez initialement. Taïwan est beaucoup plus abordable que les deux autres. Là aussi, on ne parle pas anglais partout !

À découvrir : Trusted Adventures : un regroupement d'agences de voyages d'aventure qui offre plusieurs options pour les voyageurs en solo :
trustedadventures.com/Adventure-Activity/Solo-Adventure-Travel-and-Singles-Vacations-G1

Astuce

Un « mari temporaire » ?

Vous voyagez seule et en avez marre des remarques ? Trouvez un binôme masculin. Pour lui, ce sera l'occasion de profiter des bons côtés du voyage avec une fille – on nous invite spontanément partout ! –, et pour vous, l'occasion d'avoir un peu de répit. Nous sommes d'accord : dans le meilleur des mondes, les femmes voyageraient dans les mêmes conditions que les hommes. Mais comme les femmes ne sont pas partout perçues de la même manière, mieux faut parfois ravaler sa fierté et trouver des façons de se sentir bien dans l'immédiat.

Astuce

Porter ou non une fausse alliance ?

Ah ! L'épineuse question de l'alliance... Plusieurs pros du tourisme conseillent aux femmes célibataires d'en porter une, histoire d'éloigner les prétendants potentiels. Lorsqu'on vous interroge au sujet de votre supposé conjoint ou mari, vous pouvez simplement glisser qu'il est sur le point d'arriver. Ayez également sur vous une photo dudit « mari », que vous pourrez montrer à ceux qui insistent (pour garder une certaine crédibilité, mieux vaut peut-être éviter de choisir Tom Cruise ou Brad Pitt pour le personnifier).

LES 10 COMMANDEMENTS
DE LA VOYAGEUSE EN SOLO

1

Sur les mœurs et la sécurité, tu te renseigneras. Non, on ne se baigne pas en *tiny weeny* bikini sur les plages du Moyen-Orient !

2

Léger, tu voyageras. Choix déchirants en perspective ! Mais si vous partez pour un voyage au long cours, vous détesterez rapidement cette quatrième paire de chaussures à talons que vous avez cru bon d'emporter « au cas où ».

3

Aucun signe de richesse, tu n'exposeras. Pas de montre ou de bijoux tape-à-l'œil ! Oubliez aussi l'idée de filmer avec votre iPad au milieu d'une place publique… et encore plus de déposer vos sacs par terre pendant que vous vous livrez à l'exercice.

4

La confiance, tu transpireras. Peu importe comment vous vous sentez, ne montrez jamais que vous avez peur. Avoir l'air de maîtriser la situation – même si vous tremblez à l'intérieur ! – éloignera bien des agresseurs potentiels.

5

Ta voix intérieure, tu écouteras. Quand un signal d'alarme s'allume, il ne faut pas l'ignorer. Accepter de monter en voiture ou de partager un repas avec un inconnu ? Pas n'importe qui, pas n'importe comment ni dans n'importe quel contexte.

6

Les confrontations inutiles, tu esquiveras. Certains comportements, comme des sifflements ou l'examen complet de la tête aux pieds peuvent être particulièrement agaçants. La plupart du temps, les ignorer est la meilleure façon de gérer une situation inconfortable, du moins temporairement.

7

De toucher, tu éviteras. Une simple tape sur l'épaule ou une main posée sur un bras peut prêter à confusion dans certaines cultures. Mieux vaut donc garder une certaine distance et éviter les familiarités, surtout avec des gens que vous rencontrez pour la première fois.

8

Seule le soir, tu ne sortiras pas... à part dans des contrées reconnues pour être extrêmement sécuritaires. Si vous avez vraiment envie d'explorer le *nightlife,* tissez des liens avec d'autres voyageurs avant de prendre d'assaut les bars.

9

D'humour, tu useras. C'est souvent la meilleure carte pour se sortir d'une situation délicate (ça, et jouer les innocentes).

10

Une attitude détachée, tu conserveras. On ne parle pas ici de fuir : seulement de ne pas gaspiller d'énergie inutilement. Vous ne changerez pas la mentalité de tout un peuple en explosant devant une question trop indiscrète ou une remarque que vous jugez déplacée.

Voyager sans y laisser sa chemise

(ou sa superbe tunique dénichée dans un souk)

Voyager à petit prix

VRAI OU FAUX ?

- **Partir hors des périodes de pointe vous permettra d'économiser gros.**

VRAI. Cependant, n'oubliez jamais ceci : il n'y a aucune règle absolue dans le monde du voyage. Idéalement, partez en dehors des périodes de vacances scolaires. Entre le 15 décembre et le 10 janvier (encore plus chargé entre le 23 décembre et le 4 janvier), lors des 3 semaines de relâche scolaire (en Amérique du Nord : la dernière de février et les deux premières de mars ainsi que le mois de juillet), les prix grimpent généralement de manière substantielle.

- **Le meilleur moment pour voyager est en basse saison.**

VRAI ET FAUX. Vous aurez beaucoup moins de plaisir à découvrir un pays s'il pleut tous les jours. Toutefois, tout est moins cher à ce moment-là de l'année. Vérifiez quelles sont les saisons de votre destination avant de réserver votre billet d'avion. Plusieurs pays n'en ont en fait que deux : celle de la mousson (saison des pluies, par exemple de décembre à mars au Pérou), soit la basse saison, et la saison sèche, soit la haute saison. L'idéal est donc de partir entre les deux, c'est-à-dire à la fin d'une saison et au début de l'autre, afin de pouvoir quand même profiter (du moins, théoriquement !) d'une température agréable et de tarifs corrects.

• **Le voyage « sac à dos » convient à tout le monde.**

FAUX. Acceptez vos limites. Si vous souffrez de problèmes de santé ou que vous ne vous sentez pas à l'aise avec l'idée de voyager « à la dure » pour quelque raison que ce soit, optez pour un autre type de voyage, plus encadré. En revanche, si vous vous sentez assez solide pour faire face aux imprévus, le voyage sac à dos permet une flexibilité et des rencontres extraordinaires !

• **Les voyages de groupe sont ringards.**

VRAI... MAIS SURTOUT FAUX ! Prenez le temps de faire des recherches et de comparer les prix, le nombre d'individus dans un groupe, la thématique, etc. Bien sûr, vous n'avez pas envie de vous retrouver dans un bus rempli de gens qui pourraient être vos arrière-grands-parents. Mais, rassurez-vous, eux non plus ! ;-)

• **Faire du bénévolat ou du travail humanitaire est un bon moyen d'économiser.**

VRAI, mais pas systématiquement. Certains programmes exigent des frais d'adhésion, par exemple. Mais ne le faites pas à n'importe quel prix. Si vous souhaitez voyager pendant une longue période, étudiez les différentes possibilités qui s'offrent à vous.

• **Les transports en commun sont toujours le meilleur moyen de se déplacer.**

FAUX. Mais il est vrai qu'ils permettent d'économiser gros. Toutefois, ne les prenez pas au détriment de votre sécurité. Ils constituent par ailleurs des occasions en or de rencontrer la population. Renseignez-vous pour chacune des destinations visitées. Par exemple au Mexique ou au Pérou, le réseau d'autobus est accessible à tous les portefeuilles (classes économiques, supérieures, etc.), est très bien développé et confortable (sièges-lits disponibles pour les trajets de nuit). Gardez en tête qu'ils ne suivent pas nécessairement un horaire ponctuel et peuvent prendre une éternité à vous amener à destination. Mais si vous n'êtes pas pressée, pourquoi pas ?

• **Il est souvent possible de partager le prix d'une course de taxi ou de la location d'un bateau avec d'autres voyageurs.**

VRAI. Fiez-vous à vos rencontres et à votre instinct. Nombreux sont les voyageurs dans votre situation, qui tentent de réduire les coûts de leurs déplacements.

• **Louer un vélo est économique.**

VRAI. De plus, louer un vélo est l'une des meilleures façons, avec la randonnée, de vraiment prendre le temps d'apprécier l'environnement et de lier connaissance avec les gens que vous croiserez sur votre route.

• **Les marchés sont à conseiller pour bien manger à petit prix.**

VRAI. Lève-tôt ? Parcourez les étals afin de goûter une foule de fruits frais exotiques, souvent à des prix très abordables. En soirée, particulièrement en Asie, les marchés de nuit sont un bon moyen de se nourrir à peu de frais. Visiter un marché fait généralement partie des moments forts d'un voyage !

• **Il est possible de boire l'eau du robinet après l'avoir purifiée.**

VRAI. Il existe plusieurs méthodes pour purifier l'eau : désinfectant chimique (en comprimé ou en gouttes), filtration, ébullition, en neutralisant les organismes à l'aide d'une lumière portative aux rayons ultraviolets (nouvelle méthode populaire auprès des randonneurs)... En purifiant votre eau, non seulement vous ne participerez pas au fléau des bouteilles de plastique non récupérables dans de nombreux pays, mais en plus, vous sauverez quelques sous et éviterez d'attraper une bactérie comme la salmonellose (ou autres charmantes bestioles qui pourraient vaguement vous rappeler les films *Aliens*).

7 TUYAUX POUR ÉCONOMISER EN VOYAGE

La Québécoise **Béatrice Bernard-Poulin**, 28 ans, a lancé le webzine *Eille la cheap !* (**eillelacheap.com**) afin de partager ses trucs pour minimiser ses dépenses au quotidien comme en voyage. Voici ceux qui lui semblent les plus importants avant et pendant un séjour à l'étranger.

1- Trouvez d'abord de bons billets d'avion.

Les coûts liés au transport étant généralement les plus importants, choisissez votre destination en fonction du prix des billets d'avion plutôt qu'en vous limitant à un endroit prédéterminé, et voyagez hors saison si possible. Assurez-vous toutefois que tout ne sera pas fermé sur place quand vous y serez !

2- Choisissez vos batailles.

Déjeuner chez McDo ou Starbucks peut vous coûter jusqu'à 10 $ par jour. Si on multiplie par 14 jours de voyage, cela vous fera 140 $! Or manger un bagel sur le pouce, choisir une chambre avec un frigo ou une cuisinette vous permettant de faire vos courses à l'épicerie, vous aidera à économiser plus de 100 $ que vous pourrez consacrer à d'autres activités uniques et locales.

3- Optez pour les auberges et les gîtes.

Combien de temps comptez-vous réellement passer dans votre chambre durant votre séjour ? Si la réponse est huit heures ou moins, soit simplement pour dormir, le coût d'une nuitée devrait rester le plus bas possible. Dans le cas d'un week-end de cocooning où l'on prévoit de passer tout son temps à l'hôtel, faire le choix d'une chambre un peu plus luxueuse se justifie davantage.

4- Contrebalancer vos choix.

Si vous visitez l'Afrique du Sud rien que pour pouvoir nager avec les requins, faites-le quel qu'en soit le prix. Après tout, c'était le but initial du voyage ! Dans ce cas, coupez ailleurs dans votre budget. Allez par exemple de préférence manger dans un resto cool le midi, quand le menu est moins cher, plutôt que le soir. Profitez d'une visite gratuite de la ville plutôt qu'un circuit payant avec un passe d'autobus à 50 $, pour vous déplacer, prenez l'autobus au lieu de l'avion si c'est moins cher, etc.

5- Soyez prévoyante.

De nombreuses compagnies offrent des rabais si l'on réserve à l'avance (certains moyens de transport, par exemple). Cela ne veut pas dire qu'il faut prévoir tout votre itinéraire à 100 %, mais avoir repéré ceux qui vous proposent ces promotions avant votre départ vous fera faire des économies !

6- Établissez un budget et notez vos dépenses.

C'est la partie pénible. Mais avant de partir (et même de faire des réservations), il faut calculer le prix des « essentiels » comme le transport, les assurances, l'hébergement, les activités incontournables et les déplacements sur place. Ensuite, calculez le budget que vous vous allouerez pour la nourriture et les activités. Est-ce réaliste ? Une fois là-bas, notez toutes vos dépenses. Dépasser son budget quotidien une fois, ce n'est pas si grave. Mais à condition de compenser le lendemain pour équilibrer la balance !

7- N'oubliez pas ces petits riens qui peuvent faire une grande différence.

Oui, accumuler suffisamment de points (*miles*) pour

avoir droit à un voyage gratuit prend du temps, mais si vous ne tendez pas votre carte aux marchands participants, vous n'aurez rien au bout du compte. Membre d'une association, par exemple le Club automobile (CAA) ? Vérifiez que cela vous donne bien accès à des réductions. L'assurance professionnelle couvre-t-elle aussi les voyages ? L'utilisation de votre carte de crédit à l'étranger encourt-elle des frais ou permet-elle, au contraire, de cumuler des points supplémentaires ? Ces petits détails comptent.

AVION : MYTHES ET RÉALITÉS

Quelle est la différence entre un vol nolisé et un vol régulier ?

Vol nolisé (« charter ») : Si vous pouvez vous permettre de prendre le risque, réservez à la dernière minute ET en basse saison. Comme les compagnies aériennes nolisées achètent leurs sièges à l'avance, elles ont tout intérêt à ce qu'ils soient occupés, même en sacrifiant les prix à la dernière minute. Cependant, en haute saison, vous ne bénéficierez pas de meilleurs tarifs, puisque les disponibilités sont restreintes et les compagnies aériennes savent qu'elles rempliront les appareils quoi qu'il arrive.

Vol régulier : la plupart des compagnies aériennes dans le monde sont dites régulières. Elles proposent différentes gammes de services avec des conditions (remboursable ou non, échangeable ou non, etc.) et des tarifs différents. Normalement, les bons contrats de vol sortent environ 11 à 12 mois avant le départ. Plus les disponibilités des sièges sont restreintes, plus le tarif est élevé. C'est la loi de l'offre et de la demande !

Bénéficierez-vous d'escompte en réservant un vol avec une compagnie aérienne régulière à la dernière minute ?

NON. Tout dépend des disponibilités restantes, donc surtout pas en haute saison achalandée !

10 TUYAUX POUR TROUVER DES BILLETS D'AVION À MOINDRE COÛT

1- Évitez les périodes de pointe. On ne peut pas prédire combien coûtera un billet d'avion des mois à l'avance. Néanmoins, il est évident que quand tout le monde veut partir en même temps, les prix grimpent. Par conséquent, il est plus difficile de tomber sur des aubaines pour la semaine de relâche, la période des fêtes ou les vacances d'été.

2- La flexibilité est votre meilleur allié. Si votre travail le permet, prenez vos vacances après avoir trouvé l'aubaine du siècle plutôt que de tenter de trouver de bons billets à des dates fixes.

3- N'achetez pas de billets d'avion en ligne après avoir fait une seule recherche. Prenez le temps de comparer et de faire quelques tests. Les sièges ne sont pas tous vendus au même prix. Si vous souhaitez réserver des billets en ligne pour plusieurs personnes, vérifiez le total pour les acheter en même temps, puis séparément. Si vous êtes plus nombreux que le nombre restant de sièges au plus bas prix, on va automatiquement vous attribuer les plus chers, alors que si vous faites la recherche siège par siège, vous pourrez vous procurer les derniers billets à plus bas prix.

4- Voler le mardi ou le mercredi coûte généralement moins cher, simplement parce qu'il y a plus de disponibilités. Mais là encore, ce n'est pas une règle absolue !

5- Voler les jours fériés est parfois moins onéreux que les jours précédents ou suivants. La majorité des gens ont envie d'être en famille à Noël, pas dans un avion ! Cela dit, la situation tend à changer, alors le mieux, si vous comptez voyager à cette période de l'année, est de réserver le plus tôt possible.

6- Consultez régulièrement des sites présentant les meilleures offres. Tomber sur une aubaine vous donnera peut-être envie de découvrir un « coin » de pays que vous n'auriez peut-être pas choisi spontanément, mais qui vous réservera de bien belles surprises. Au Québec, **yulair.com** partage les offres les plus intéressantes.

7- Apprenez à utiliser les outils qui se trouvent à portée de clic. Vous avez une destination précise en tête ? Google Flights vous permet de repérer quels jours les billets d'avion sont les moins chers grâce à des graphiques très pratiques. Le même site vous donne aussi une idée des prix pour plusieurs destinations au départ d'une ville précise.

8- Abonnez-vous aux comptes Twitter, pages Facebook et/ou infolettres (*newsletters*) des compagnies de transport et des sites spécialisés pour être informée de leurs offres spéciales, par exemple les promotions de dernière minute. Jeter un coup d'œil de temps en temps à ces différentes sources vous permet d'avoir une bonne idée du marché.

9- N'hésitez pas à faire appel à des experts. Les conseillers en voyages ont accès à des outils réservés aux professionnels. C'est pourquoi ils parviennent généralement à trouver des billets d'avion à prix équivalent à ce qu'on trouve en ligne ou moins chers (sauf exceptions). Faire affaire avec un conseiller en voyages vous assure par ailleurs un service après-vente.

10- Informez-vous. Chaque conseiller en voyages détermine le montant des frais de dossier selon le temps passé à faire la recherche. Ainsi, si vous fouinez sur Internet pour avoir une idée de ce qui vous intéresse avant de contacter un conseiller en voyages, vous devriez avoir une facture moins salée que si vous le faites travailler pendant deux semaines avant de vous brancher. À l'inverse, comme de plus en plus de gens contactent un conseiller mais finissent par réserver eux-mêmes leurs billets en ligne, certaines agences exigent maintenant des frais de dossier au préalable qui pourraient être remboursés si la transaction est effectuée par eux. Informez-vous dès le départ de la manière dont le conseiller perçoit ses honoraires. Un conseiller spécialisé dans l'organisation de voyages sur-mesure fonctionne différemment d'un conseiller classique qui réserve seulement des produits traditionnels (vols, formule tout compris au soleil, etc.). **Rappelez-vous par ailleurs que moins cher ne veut pas toujours dire mieux !**

ET SI ON PRENAIT LE BUS ?

Si vous préférez les transports en commun au covoiturage ou au stop, plusieurs compagnies d'autobus offrent des tarifs intéressants un peu partout sur la planète. C'est le cas, notamment, de **Naked Bus** en Nouvelle-Zélande (**nakedbus.com**). En Corée du Sud et à Taïwan, des compagnies d'autobus ultra-confortables sont également très économiques.

« En Europe centrale, il y a aussi Polski Bus et au Royaume-Uni, Megabus, mentionne la blogueuse Anick-Marie Bouchard. *En s'y prenant à l'avance, on peut avoir des billets à 5 euros pour plusieurs centaines de kilomètres, Wi-Fi inclus ! »*

En plus d'opérer dans plusieurs pays d'Europe, **Megabus** (**megabus.com**) effectue aussi des trajets tant aux États-Unis qu'au Canada.

Basée à Paris, la blogueuse mode et beauté Audrey Albicy (**jeans-et-stilletos.com**) a pour sa part connu de bonnes expériences avec **iDBUS** (**fr.idbus.com**), propriété de la SNCF. *« Des détails importants pour moi : le confort, la propreté et le Wi-Fi ! »*, précise-t-elle.

Eurolines (**eurolines.fr**), accessible en Europe et au Maroc, est une autre option à considérer.

ET LE TRAIN ?

Parfois, le prix d'une carte-voyage (« passe ») est plus avantageux si on l'achète avant le départ. Certaines ne sont d'ailleurs disponibles qu'avant l'entrée sur le territoire de votre destination, comme la **Japan Rail Pass (jrpass.com)** que vous ne pourrez acheter que depuis votre pays d'origine. Même s'il est possible d'acheter des billets sur place, **Rail Europe (raileurope.com)** propose différents passes. Destinée au marché nord-américain, la compagnie offre des produits regroupant l'ensemble des réseaux de chemins de fer européens. Cela dit, ce type de billet n'est pas toujours l'option la plus avantageuse. Tout dépend du trajet que vous effectuez.

ÉCHANGER, LOUER OU GARDER UNE MAISON ?

L'échange de maisons (ou d'appartements, de chalets…) ne cesse de gagner en popularité. Non, ce n'est pas pour tout le monde. Êtes-vous à l'aise avec l'idée que quelqu'un vive dans votre univers pendant votre absence ? Si c'est le cas, vous avez peut-être trouvé une bonne façon de voyager plus souvent en réduisant vos dépenses !

« *Je voulais bien sûr économiser, mais aussi ne pas rester à l'hôtel* », répond l'animatrice et blogueuse **Katerine-Lune Rollet** quand on lui demande pourquoi elle a choisi d'échanger son appartement du Plateau Mont-Royal avec celui d'une Française d'Aix-en-Provence il y a quelques années. Elle a trouvé le « match parfait » par l'entremise du site **Homelink**. Son expérience, en résumé ? « *Super ! Rien de cassé et tout était propre. Je le recommande n'importe quand ! En plus, il y a quelqu'un qui s'occupe d'arroser les plantes. Pratique pendant la canicule de juillet !* »

Dans la même optique, plusieurs vacanciers ont recours à des « gardiens de maisons » (*house sitters*), qui peuvent aussi prendre soin de leurs animaux de compagnie. **Alizé Vandercruyssen** et **Maxime Bellefleur**, du blogue *Détour local* (**detourlocal.com**) ont ainsi vécu dans une vingtaine de pays depuis leur rencontre en Tanzanie il y a quatre ans. Ils privilégient le gardiennage de maisons pour se loger. « *Nous restons en moyenne de trois à six mois dans chacun des lieux.* » Le couple québéco-belge conseille de débuter par contacts, histoire de se constituer un réseau de références. « *Après, c'est beaucoup plus facile. Pour donner confiance aux gens, nous leur donnons aussi rendez-vous avant par Skype ou sur place, la veille de leur départ, et gardons un suivi constant avec eux durant leur séjour par courriel, histoire qu'ils ne s'inquiètent pas.* »

Corinne Stoppelli a quant à elle développé un créneau bien précis : le gardiennage de chats à domicile. « *C'est une amie qui me l'a proposé la première fois, quand je n'avais pas d'appart en Suisse. Elle voyage pas mal et est folle de ses chatons, alors impossible pour elle de les laisser dans un refuge ! Comme j'adore les chats, la solution idéale pour nous deux s'est imposée. Elle a ensuite parlé de moi à des amis, qui en ont parlé à une autre amie... J'ai eu d'autres propositions ailleurs par la suite.* »

Pete et **Dalene Heck** du blogue Hecktic Travels (**hecktictravels.com**) en sont aussi des adeptes. Ils en parlent abondamment sur leur blogue, en plus de publier des annonces dans la section « *House-sits* » (y compris pour garder des animaux à domicile). « *Nous nous sommes inspirés d'un couple d'Américains plus âgé rencontré en Équateur et qui a pratiqué le* house sitting *pendant plusieurs années,* écrivent-ils dans leur billet *Housesitting 101*. Ils ont notamment passé six ans au Costa Rica, allant de boulot en boulot pendant des périodes de six mois. Pour n'importe quelle personne sans domicile, c'est l'occasion idéale de « *jouer à avoir une maison sans le stress économique d'en posséder une* ».

Les destinations où il est le plus facile de garder des maisons ? « *Celles des communautés anglophones,* affirme Maxime Bellefleur, *comme le Canada anglais, les États-Unis, l'Australie et l'Angleterre, ou les pays où de nombreux expatriés anglophones ont élu domicile, comme au Costa Rica ou au Nicaragua.* » Il ajoute qu'il faut rester ouvert quant à la destination et aux dates.

Pour ce qui est de la location de logements, à moins d'avoir vécu au fond des bois au cours des dernières années, vous connaissez probablement déjà **Airbnb.com**. Mais c'est loin d'être le seul site à proposer ce type de services ! Des versions haut de gamme ont aussi vu le jour, comme **BeMate**, qui propose même un service de concierge.

Quelques adresses :
- **HomeLink :** homelink.org
- **TrocMaison :** trocmaison.com
- **HomeForExchange :** homeforexchange.com
- **MindMyHouse :** mindmyhouse.com/
- **TrustedHousesitters :** trustedhousesitters.com
- **CouchSurfing :** courchsurfing.com
- **Airbnb :** airbnb.com

- **Homelidays :** homelidays.com
- **Be Mate :** bemate.com
- **Onefinestay :** onefinestay.com
- **CanadaStays :** canadastays.com

HÉBERGEMENT : DES OPTIONS SANS SUPPLÉMENT SIMPLE

Dans la plupart des établissements hôteliers, le tarif affiché pour une nuitée s'applique si deux personnes occupent la chambre. C'est le fameux prix « en occupation double ». Pour les voyageurs individuels, le « supplément simple » exigé fait parfois une grande différence dans le budget. Heureusement, certains hébergements et agences ont décidé d'offrir des remises aux personnes voyageant seules. Quelques pistes et tuyaux :

• En **Tanzanie** et ailleurs en Afrique australe (**Namibie, Zambie, Zimbabwe**), en basse saison, plusieurs hébergements et bateaux offriront, si vous êtes à l'aise pour négocier, des remises pour voyageur solo. Par exemple, le Lodge Elephant Eye's, à Hwange, près des chutes Victoria (du côté du Zimbabwe), entre autres offert par Jenman African Safaris, n'exige pas de supplément en occupation simple.*

• Au **Maroc**, Dar Afra, une maison d'hôte située dans le Haut Atlas, accueille les voyageurs individuels sans supplément : darafra.com*

* Ces deux exemples ont été testés par Ariane ou les clients de son agence Esprit d'Aventure.

• L'agence **Marmara** est spécialisée en voyages pour célibataires. Des séjours en formule tout compris ou demi-pension en Espagne, en Tunisie, au Maroc ou au Sénégal y sont proposés pour un supplément en occupation simple à partir de 15 €/25 $CAD. (**marmara.com/voyage/vacances-celibataire**)

• **Explora**, agence de voyages d'aventure basée à Santiago de Chile, n'exige aucun supplément en occupation simple pour les voyageurs en solo entre le 1er avril et le 31 octobre (fin du voyage à cette date) sur toutes leurs propositions d'itinéraires voyages (à l'exception de leurs expéditions Travesías Nomadic Journeys). **Info : explora.com**

• **Overseas Adventure Travel**, qui s'adresse aux 50 ans et plus, n'exige aucun supplément en occupation simple. L'agence met aussi à disposition des voyageurs un service en ligne de recherche de compagnons de voyage (seniortravel.about.com/od/planningyourdreamtrip/a/How-To-Find-Travel-Companions.htm). **Info : oattravel.com/ways-to-save/solo-traveler**

• **Hostelling International**, réseau mondial des auberges de jeunesse, permet de se loger à petit prix en dortoir, en chambres semi-privées ou privées à petit prix, peu importe son âge. **Info : hihostels.com**.

• En Australie et en Nouvelle-Zélande, l'auberge de jeunesse **Base Backpackers** compte un étage nommé « le sanctuaire » réservé aux femmes et sans supplément simple. **Info : stayatbase.com**

• Au Québec, pas de supplément simple dans les *Bed and Breakfasts* et les petites auberges membres de **Gîtes et auberges du passant**, qui font en plus partie du grand réseau provincial Terroir et Saveurs. Chaque établissement

a été certifié par **terroiretsaveurs.com/a-propos.html**. **Info :
giteetaubergedupassant.com**

• Pas de supplément simple non plus pour les chambres
d'hôtes du réseau **Gîtes de France** ! **Info : gites-de-france.com**

> **Bon à savoir !**
> En basse saison, n'hésitez pas à négocier.
> Les aubergistes et hôteliers ont tout intérêt à louer
> leurs chambres, même à un prix moindre !

BIEN MANGER À PETIT PRIX

Nathalie de Grandmont roule sa bosse dans le domaine
du journalisme voyage depuis une vingtaine d'années. Au
fil du temps, cette passionnée a développé une foule de
trucs pour dénicher les bons plans. Voici quelques-uns de ses
conseils, qui vous permettront de bien manger sans vous ruiner.

1- Repérez les étudiants !
*« Dans plusieurs villes du monde, les restaurants les moins
chers se trouvent dans les quartiers ethniques ou… dans les
quartiers étudiants. Repérez les campus universitaires et arpentez les*

rues voisines. Incidemment, c'est souvent dans ces mêmes quartiers qu'on trouve les bars les moins chers et les plus sympas. »

2- Grands magasins, grands complices…

« Dans plusieurs villes d'Europe et d'Amérique du Nord, les grands magasins proposent une foule de services. Un jour que j'étais en transit à Manhattan pour la journée, j'ai pu laisser ma valise au vestiaire de Bloomingdale's pour un prix dérisoire. En Europe, il n'est pas rare que les cafétérias ou restaurants des grands magasins proposent aussi des menus complets à des prix raisonnables. À Paris, le magasin Printemps possède l'une des plus belles terrasses panoramiques de la ville accessible pour le prix d'un café ! Quant à son voisin, les Galeries Lafayette, il propose chaque semaine de courts défilés de mode libres d'accès. »

3- Escale au marché

« Les marchés locaux sont de plus en plus populaires, un peu partout dans le monde. En Europe, ils sont faciles à trouver puisqu'ils se tiennent généralement sur l'une des places principales, souvent les mercredis, vendredis ou samedis matins. Même en Amérique du Nord, les marchés ont poussé comme des champignons ces dernières années, si bien qu'on en trouve même dans des villes comme Chicago. Pour connaître la liste des marchés fermiers de Chicago et leurs heures d'ouverture : **cityofchicago.org/city/en/ depts/dca/supp_info/farmers_market2.html** *»*

4- Opter pour les spécialités de l'endroit

« Pour se nourrir à prix raisonnable, rien de tel que d'imiter les locaux : grignoter un souvláki en Grèce, des saucisses dans les Biergarten *en Allemagne ou d'autres plats semblables dans des kiosques de cuisine de rue. Dans les restaurants, même chose ! Les plats les moins chers sont souvent les spécialités locales (du poisson, dans le cas du Japon) ou les plats du jour, dans le cas des bistrots. »*

5- Gueuletons… le midi !

« Pour vous offrir un bon gueuleton dans un restaurant plus dispendieux, optez pour le repas du midi. En semaine, la majorité des restaurants proposent à leur clientèle d'affaires des menus "tables d'hôte", beaucoup plus économiques qu'en soirée. Aux États-Unis, vous pouvez essayer de tirer profit des formules style "early-bird", souvent offertes pour les petits déjeuners et/ou les soupers. Autre exemple : à Londres, le soir, presque tous les restaurants du West End et de Soho affichent des menus "avant" ou "après" théâtre ; moins chers pour peu qu'on soit prêt à manger légèrement en décalé plutôt qu'aux heures les plus fréquentées. »

6- Petit déjeuner ou brunch

« Dans les pays nordiques (Allemagne, pays scandinaves), le petit déjeuner est un des repas les plus consistants. Ainsi, les buffets sont souvent garnis de multiples pains et charcuteries, de fromages, de céréales, de muesli, de yogourts, etc. Profitez-en pour en faire un bon repas ! C'est aussi le cas aux États-Unis, où les restaurants proposent souvent des petits déjeuners complets (œufs, bacon, etc.) pour quelques dollars. »

7- Café… au comptoir !

« À Rome, il faut faire comme les Romains ! Avez-vous remarqué que les locaux *prennent toujours leur café au comptoir ? La raison : c'est beaucoup moins cher, pardi ! Un "espresso" au comptoir coûte moitié moins cher qu'aux tables. Et beaucoup moins cher que les* latte, cappuccino *et autres cafés que les touristes ont tendance à commander ! C'est la même chose en France. Autre petit conseil : prenez le temps de vous éloigner des grands sites touristiques avant de vous attabler. Marchez quelques coins de rue (en direction des quartiers plus résidentiels ou populaires) et les coûts diminuent généralement, au fur et à mesure que vous vous éloignez… »*

8- Gare au couvert !

« Petite mise en garde : dans plusieurs restaurants en Europe, on vous facturera des frais de couvert pour vous asseoir à une table (qui peuvent osciller entre 1 et 3 € par personne). On sursaute la première fois, mais on apprend ensuite à remarquer ces frais, généralement affichés sur l'ardoise à l'entrée… »

Pour découvrir d'autres tuyaux et les histoires rocambolesques de Nathalie de Grandmont, rendez-vous sur son blogue **Globe-raconteuse (nathaliedegrandmont.com)**.

CONCERTS GRATUITS
AUX QUATRE COINS DE LA PLANÈTE !

Oui, il est possible d'élargir vos horizons musicaux sans débourser un sou ! Quelques pistes :

1- Quartier des spectacles, Montréal, Canada. En plein cœur de la ville, le Quartier des spectacles propose des activités culturelles gratuites à toutes les saisons. L'été, les multiples festivals qui s'y déroulent (« Jazz », « Juste pour rire », « Francofolies », « Nuits d'Afrique »…) permettent de voir une foule de spectacles de qualité. L'hiver, « Montréal en lumière » présente diverses installations, spectacles, prestations de DJ et même une glissade pour les enfants ! **Info : quartierdesspectacles.com, montrealjazzfest.com, hahaha.com, francofolies.com, festivalnuitsdafrique.com, montrealenlumiere.com**

2- Amsterdam, Hollande. Offrez-vous un concert gratuit le mercredi au **Concertgebouw**. Cette grande salle sert de résidence à l'Orchestre royal et donne 800 concerts par an. **Info : concertgebouw.nl/en**

Le mardi, vous avez le choix entre le **Muziektheater** pour entendre des scènes d'opéra. Info : operaballet.nl/en Le **Bimhuis**, pour une *jam session* de jazz. **Info : bimhuis.nl/home**

3- Berlin, Allemagne. Tous les mardis à 13 heures, le foyer de la célèbre **Philharmonie** de Berlin offre un concert de musique de chambre gratuit. **Info : berliner-philharmoniker.de/en/concerts/lunch-concerts/**

Les étudiants du **Hochschule für Musik Hanns Eisler** démontrent également leurs compétences gratuitement plusieurs fois par semaine. **Info : hfm-berlin.de/en/**

4- Millennium Park, Chicago, États-Unis. Escale obligatoire pour voir la célèbre Cloud Gate (« Porte des nuages ») d'Anish Kapoor, plus connu sous son surnom « La Fève », mais aussi pour ses spectacles estivaux gratuits ! Ne manquez pas le pavillon Jay Pritzker, conçu par le récipiendaire du prix Pritzker, Frank Gehry. L'orchestre Grant Park y propose des concerts pendant la belle saison (oui, gratuits !). **Info : cityofchicago.org/city/en/depts/dca/supp_info/millennium_park.html**

5- Buenos Aires, Argentine. La faculté de droit de l'Université de Buenos Aires propose chaque semaine des concerts gratuits de musique classique. **Info : derecho.uba.ar/extension/conciertos.php**

6- Chiang Mai, Thaïlande. Profitez de soirées musicales : le lundi au Paradise, le mardi au Windy Jazz Bar, le mercredi au Boy Blues Bar, le jeudi au Tea Tree Café, le vendredi au

Ravioli et le samedi au Gossip ou à la Galerie Sangdee. Les amateurs de jazz privilégieront quant à eux le North Gate Jazz Co-Op, qui offre des spectacles tous les soirs et un *jam* le mardi.

7- Delhi, Inde. Visitez le **temple Hare Krishna Iskcon**, l'un des plus grands et des plus intéressants dédiés à la Société internationale pour la conscience du dieu Krishna et de sa philosophie (International Society for Krishna Consciousness). On peut y écouter les sons des tambours et le chant de « Hare-Krishna ». On trouve aussi un théâtre. **Info : iskcondelhi.com/**

8- Kuala Lumpur, Malaisie. Assistez à un **concert de l'orchestre philharmonique des tours jumelles Petronas** à Kuala Lumpur.

9- Istanbul, Turquie. Baladez-vous à l'ombre des arbres centenaires du **parc Gülhane**, l'un plus grands parcs publics de la ville, et profitez de concerts occasionnels. **Info : istanbul-city.fr/parc-jardin/parc-gulhane/**

10- Prague, République tchèque. Tous les soirs, des musiciens praguois jouent aux alentours du pont Charles.

11- Rio de Janeiro, Brésil. Il y a souvent des spectacles gratuits le dimanche soir vers 19 heures à proximité des plages d'**Ipanema et de Copacabana**. Pas d'annonces ni d'informations officielles, il suffit de se présenter sur place !

12- Delhi, Inde. Parcourez l'un des sites les moins connus de Delhi, le **Dargah de Nizamuddin**, un complexe de tombes et de mosquées sur le lieu de sépulture du vénéré saint soufi Nizamuddin Auliya. Le jeudi soir, le tombeau de

Nizamuddin se transforme en un lieu pour un concert de musique traditionnelle qawwalî. **Info : nizamuddinaulia.org/**

13- Yogyakarta, île de Java, Indonésie. Assistez à un **spectacle de musique tradionnelle**, avec les gamelans ct autres percussions, aux divers palais de Yogyakarta. Par exemple le Kraton : **indonesia-tourism.com/yogyakarta/keraton.html**

14- Madrid, Espagne. Le **parc du Retiro** organise des concerts musicaux de tout type hcbdomadaires gratuits. Profitez par le fait même des visites guidées gratuites à la découverte de la faune et flore du parc. **Info : madridtourist.info/buen_retiro_park.html**

15- Mexico City, Mexique. En soirée, rendez-vous à la Plaza Garibaldi pour entendre les fameux **groupes de Mariachis** !

UN PEU DE LUXE

Quelques expériences à tenter si votre budget le permet :

• **Les bains locaux.** Hammams dans plusieurs pays du Maghreb, les *onsen* au Japon et les *jimjilbang* en Corée du Sud.

• **Boire un cocktail sur une terrasse, sur le toit d'un hôtel.** Vous profiterez en plus d'une vue splendide sur la ville ! Quelques pistes à Bangkok : le célèbre Sky Bar, au 63e étage de la tour Lebua ou bien le Vertigo et le Moon Bar de l'hôtel Banyan Tree. Une adresse à l'ambiance décontractée et aux petits prix : le Cloud 47 au 47e étage de l'immeuble de bureaux United Center. Profitez du « *Ladies' night* » si votre budget est réduit.

• **Un massage.** Dans plusieurs pays, le massage fait partie intégrante de la culture locale et ne coûte presque rien. Vous pourriez même en profiter allongée sur la plage !

• **Baignades dans les sources d'eaux chaudes ou les bains de boues.** Thérapeutique !

IDÉES DU COÛT DE LA VIE
DE CERTAINES DESTINATIONS

Le coût est généralement plus cher en ville et dans les endroits touristiques, alors qu'il diminue à la campagne. Le tableau ci-contre vous donnera quelques exemples concrets.

	Produits frais achetés à l'épicerie	Repas dans un restau local simple	Repas dans un hôtel Standard	Nuitée dans une guest house ou chez l'habitant	Nuitée dans un hôtel standard (2-3*)	Nuitée dans un hôtel luxueux (4-5*)	Transports en commun	Location de voiture (sans chauffeur)	Voiture avec chauffeur	Guide Local	Sorties nocturnes (Bar, discothèque, karaoke)
Chili	✿✿	✿✿	✿✿✿	✿✿✿	✿✿✿	✿✿✿✿	✿✿✿	✿✿✿	✿✿✿✿	✿✿✿	✿✿✿
Hawaï	✿✿✿✿	✿✿✿	✿✿✿✿	✿✿✿	✿✿✿	✿✿✿✿✿	✿✿✿	✿✿✿	✿✿✿✿✿	✿✿✿✿	✿✿✿✿
Inde	✿	✿	✿✿✿	✿	✿✿	✿✿✿	✿	N/A	✿✿✿	✿✿✿✿	✿✿✿
Islande	✿✿✿✿	✿✿✿✿	✿✿✿✿	✿✿✿	✿✿✿✿	✿✿✿✿	✿✿✿	✿✿✿	✿✿✿✿	✿✿✿✿	✿✿✿✿
Jordanie	✿✿	✿✿	✿✿✿	✿✿	✿✿✿	✿✿✿	✿✿	✿✿✿	✿✿✿	✿✿✿	✿✿
Madagascar	✿✿	✿	✿✿✿	✿✿	✿✿	✿✿✿	✿	✿✿✿	✿✿✿	✿✿✿	✿✿✿
Malaisie	✿	✿✿	✿✿✿	✿✿	✿✿	✿✿✿	✿	N/A	✿✿✿	✿✿	✿✿
Maroc	✿✿✿	✿✿✿	✿✿✿	✿✿✿	✿✿✿	✿✿✿	✿✿	✿✿✿	✿✿✿	✿✿✿	✿✿✿
Mongolie	✿✿	✿✿✿	✿✿	✿	✿✿✿	✿✿✿	✿✿	N/A	✿✿✿✿	✿✿✿	✿✿
Pérou	✿✿	✿✿	✿✿✿	✿✿	✿✿✿	✿✿✿	✿✿✿	N/A	✿✿✿	✿✿✿	✿✿✿
Turquie	✿✿	✿✿	✿✿✿	✿✿✿	✿✿✿	✿✿✿✿	✿✿✿	✿✿✿	✿✿✿	✿✿✿	✿✿✿

Légende :

- ✿ : Pas cher !
- ✿✿ : Abordable
- ✿✿✿ : Semblable au Québec
- ✿✿✿✿ : Semblable à la France
- ✿✿✿✿✿ : Élevé

REMARQUES :

MONGOLIE. Repas au restaurant : Il n'y a que très peu de restaurants lorsque l'on sort d'Oulan Bator. **Nuitée chez l'habitant en yourte :** Via certaines organisations, c'est gratuit ou vraiment abordable. **Nuitée à l'hôtel :** La plupart des hôtels se trouvent à Oulan Bator. À l'extérieur, ce sont des camps de yourtes fixes suivant différentes catégories de confort. **Transport en commun :** Il n'y en a pas vraiment, à part de joindre un vieux minivan russe qui propose des trajets de groupe.
PÉROU. Repas du midi : La grande majorité des hôtels (peu importe la catégorie) offre de bons lunchs traditionnels péruviens (surtout le dimanche) et vraiment économiques.

Conseils et astuces pour faire de belles rencontres

De femme à femme

DES LIEUX RIEN QUE POUR LES FEMMES

Dans plusieurs pays, il existe des lieux ou sections interdits aux hommes. Une bonne occasion de vous sentir « moins visible » pendant un moment et de tisser des liens avec les femmes du pays !

• **Restaurants :** À Herat, à l'ouest de l'Afghanistan, le restaurant Scranton est interdit aux hommes. Initiative de Voice of Women, une ONG afghane qui gère cinq refuges pour femmes dans le pays, l'endroit est l'un des rares où ces dernières peuvent avoir une vie sociale. On trouve aussi des établissements du même genre à Dubaï, Las Vegas, Londres et Zhengzhou, en Chine.

• **Transports en commun :** Dans les villes de Mumbai, Mexico, Rio de Janeiro et Jakarta, notamment, des wagons ou des sections sont réservés aux femmes. Certains d'entre eux sont facilement repérables grâce aux rayures roses qu'ils arborent, par exemple à Dubaï. Au Japon, des *hana densha* (« trains fleuris ») existent depuis 1912 ! Ils sont surtout prisés aux heures de pointe, quand la foule se fait particulièrement dense.

• **Hôtels :** Rares sont les établissements exclusivement réservés aux femmes, mais plus en plus d'étages leur sont dédiés, à Tokyo, notamment.

• **Cinémas :** En Arabie Saoudite et dans certains pays musulmans, il existe des salles « pour elles ».

• **Taxis :** On trouve aujourd'hui des « taxis roses » un peu partout sur la planète : de Mexico (**womenstaxi.org/ mexico.html**/52(222) 375-4911) à la Russie (**womantaxi. ru**/+7 (495) 66-200-33), en passant par Beyrouth (Banet Taxi : womenstaxi.org/lebanon.html /9611422229) et Londres (**pinkladies.co.uk**/0843 208 7465).

SOLIDARITÉ FÉMININE

Des échanges de femme à femme sont souvent passionnants et intrigants, surtout dans les sociétés moins égalitaires. En tant que voyageuse, vous êtes généralement acceptée dans le cercle des femmes locales. Dans les Andes, en Amérique du Sud par exemple, la femme, c'est la « Mama » ou la « Pachamama » sacrée, la mère protectrice ou la mère terre. On ne la laissera jamais tomber ! Ces dernières osent vous approcher, plus spécifiquement dans certains pays comme en Bolivie, en Équateur et au Pérou. C'est un privilège et une occasion d'en apprendre davantage sur les us et coutumes ainsi que de découvrir leur réalité tellement éloignée de la vôtre.

Certaines voudront prendre soin de vous, cette « pauvre femme vulnérable et sans défense qui n'a pas d'homme pour la protéger ». Ces dernières chercheront à comprendre ce qui vous pousse à voyager sans mari ni enfant. Il faudra apprendre à mettre un peu de côté vos valeurs féministes et faire attention de ne pas choquer, histoire d'avoir un échange constructif, basé sur le respect des valeurs de l'autre.

« Quand je dois voyager sur un long trajet en train, bateau, bus,

je m'arrange souvent pour établir un contact avec une autre femme, un autre couple ou une famille, explique **Marie-Ange Ostrée**, blogueuse (**unmondeailleurs.net**). *Le contact peut n'être au départ que visuel, ou qu'un bref mais sympathique échange verbal au sujet du voyage. En général, les "locaux" intègrent facilement une femme seule dans leur sphère et se montrent plutôt accueillants, les repas sont souvent partagés et on ne me laisse pas seule dans mon coin, je deviens un élément distrayant de leur voyage et des liens se tissent, facilitant aussi les contacts à l'arrivée. »*

Une piste :

L'association Women Welcome Women, qui met en contact des femmes dans plus de 60 pays et favorise l'échange d'hébergement chez l'habitant : **womenwelcomewomen. org.uk**

15 FAÇONS D'ENTRER EN CONTACT AVEC LES « LOCAUX » (EN PARTICULIER LES FEMMES)

1- Séjours chez l'habitant : Loger chez l'habitant est une excellente manière d'établir un vrai contact avec les femmes, mais aussi avec une famille entière. En Russie, dans le nord de la Thaïlande ou du Vietnam, c'est une option à envisager. Les familles vous accueilleront comme elles souhaiteraient qu'on accueille leurs propres enfants. Demandez à la grand-maman de vous apprendre à cuisiner. En plus de découvrir des plats typiques, vous aurez l'occasion d'établir une complicité autour du feu. Une bonne manière de briser la glace !

2- Randonnées : L'une des meilleures façons de sortir des sentiers battus est de partir en randonnée à la rencontre de villageois plus isolés. La Birmanie et le Népal offrent notamment de superbes possibilités. Accompagnée d'un guide local qui maîtrise plusieurs dialectes, visitez des villages qui ne sont, dans l'idéal, pas complètement dépendants du tourisme et continuent leurs activités traditionnelles agricoles. Vous créerez moins de vagues et le contact sera plus agréable et authentique.

3- Bains et piscines publics : Dans certains pays, ces endroits réservés aux femmes sont les seuls où elles peuvent se retrouver. Vous risquez de vous sentir inspectée de la tête aux orteils dans les moindres détails, mais elles sont simplement curieuses de se comparer ! Elles voudront peut-être toucher votre peau et vos cheveux. Vous prêter au jeu entraînera bien des fous rires et des moments de complicité, même si vous ne parlez pas la même langue.

4- Cours de cuisine : La nourriture, c'est bien connu, facilite les échanges. Simplement demander à une femme du village, par exemple en Thaïlande, de vous apprendre à préparer un repas autour du feu que vous avez particulièrement apprécié permet de créer une certaine proximité. Ou bien, le *must* : choisir les ingrédients au marché en compagnie d'une chef ou d'une cuisinière et prendre part à un atelier de cuisine. Au Pérou, c'est une bonne manière de découvrir les produits locaux et de partager un bout du quotidien. Dans la plupart des pays, les femmes sont très réceptives à cette approche.

5- Confection de vêtements : Dans certains pays d'Asie, vous faire confectionner des vêtements ou des souliers est une expérience en soi. La plupart des boutiques de tailleurs vietnamiens sont tenues par des femmes. Vous choisissez le modèle et le tissu qui vous plaît, on prend vos mesures et vous revenez quelques heures plus tard pour récupérer vos nouveaux habits. Profitez-en pour entamer la conversation !

6- Le tricot : Dans les montagnes du Tibet ou de Bolivie, notamment, le tricot fait partie intégrante du quotidien des femmes. Quand vous prenez l'autobus ou le train, sortez votre tricot et n'hésitez pas à demander aux femmes curieuses autour de vous de vous montrer leur technique et de participer à la confection de votre œuvre. Un superbe outil pour interagir, et un souvenir qui ne s'achète pas !

7- L'album de photos : Rassemblez des clichés de votre famille, de vos amis, de paysages typiques de votre coin de pays, des traditions, de la faune, de la flore... C'est un excellent outil de communication, surtout si vous ne maîtrisez pas la langue.

8- La cérémonie de mariage : C'est l'occasion idéale de vivre une expérience authentique. Dans certains pays, les cérémonies durent trois jours... Vous aurez ainsi amplement le temps de discuter avec toutes les familles du village. Dans certaines cultures, notamment à Bali, votre présence sera aussi gage de « chance » pour le début de vie commune des nouveaux mariés et ne pourra qu'amener bénédiction sous leur toit.

9- Le journal de voyage : Servez-vous de ce prétexte pour questionner la population locale sur la culture et les coutumes. Notez les anecdotes qu'ils vous confient et les choses qui vous frappent. Voilà une bonne manière d'entamer la conversation et de montrer à vos hôtes que vous vous intéressez à leur mode de vie !

10- Se faire « adopter » par une famille (où vous avez idéalement un contact) : En plus de pouvoir plonger vraiment dans le quotidien, vous aurez probablement l'occasion de visiter des lieux moins touristiques. Une mère de famille veillera à votre sécurité (peut-être un peu trop parfois) et... à votre estomac. Ses ressources sont nombreuses !

11- Partager un thé : Dans certains pays, comme au Maghreb, ce rituel joue un rôle primordial. On essayera peut-être de vous vendre quelque chose en même temps, mais pas forcément. Ces rencontres peuvent vous réserver de belles surprises ! Par exemple en Turquie, on vous invitera souvent à prendre un thé à la pomme et probablement à partager un repas avec toute la famille.

12- CouchSurfing : Ce site de réseautage permet de loger gratuitement chez l'habitant. Préférez dans la mesure du possible les lieux proposés par des femmes.

13- Les habitudes : Trouvez un restaurant où vous vous sentez bien accueillie et fréquentez-le régulièrement. Quand les employés commenceront à mieux vous connaître, ils seront heureux de discuter avec vous.

14- Le guide de conversation : Sortez-le pendant un trajet d'autobus, par exemple. Il risque de piquer la curiosité de vos voisins. Un excellent outil pour casser la glace !

15- Le sourire : Il reste le meilleur des passeports !

Astuce

Toujours vérifier au moins deux fois... voire plus !

Dans certains pays, les gens préféreront vous donner une réponse, même s'ils ne savent pas si c'est la bonne. Ce peut être par fierté ou par souci de ne pas vous décevoir. Mieux vaut donc interroger plusieurs personnes, histoire de pouvoir faire une moyenne (sur environ 10 affirmations) avec toutes les réponses reçues.

TUYAUX POUR NE PAS TROP AVOIR L'AIR « TOURISTE »

1- Ne pas déplier une carte à la vue de tous. Gardez-la à portée de main et consultez-la dans un lieu plus discret si nécessaire. « *Je n'ai jamais de caméra, de guide de voyage ou de carte de la ville en main lorsque je marche dans la rue,* raconte **Katerine-Lune Rollet**, animatrice, chroniqueuse et blogueuse gastronomique (**katerinerollet.com**). *J'apprends le nom des rues à l'avance et, si je suis perdue, je demande mon chemin dans un magasin (bon exercice pour développer le sens de l'orientation !).* »

2- Bien que les applications mobiles soient plus discrètes que les cartes en papier, **évaluez l'environnement qui vous entoure avant de dégainer votre téléphone intelligent dans la rue** (particulièrement les iPhone : les *pickpockets* des quatre coins de la planète en raffolent !). La géolocalisation s'avère par ailleurs très utile, tout comme les plans qui nous permettent d'élaborer un itinéraire à pied. Mais soyez discrets ! Au Brésil par exemple, peu de gens utilisent leur téléphone en public par crainte du vol.

3- Évitez de porter votre appareil photo en bandoulière ou de vous promener avec un sac affichant le logo du fabricant. Sauf si vous prenez part, à bord d'une Jeep, à un safari-photo ou si vous vous trouvez dans un endroit ultra-sécurisé. Gardez votre appareil dans une poche fermée à la taille ou un sac à dos porté sur le ventre.

4- Mentez lorsque nécessaire ! Plutôt que d'admettre que vous êtes perdue à un pur étranger, inventez-vous des souvenirs ! Dites que c'est la troisième ou quatrième fois que vous visitez la région, ou alors que vous faites partie de la communauté d'expatriés. Ainsi, on croira que vous connaissez les codes sociaux et les mœurs locales. Vous constaterez rapidement un changement d'attitude chez vos interlocuteurs. En théorie, on essayera moins de vous arnaquer. Cela dit, il faut aussi connaître un minimum la culture d'accueil. On peut baisser sa garde dans certains pays, remarquez. À Séoul, en Corée du Sud, on fera tout pour vous aider et votre sécurité ne sera pas menacée.

5- Procurez-vous un sac d'une épicerie locale, comme le suggère la blogueuse et voyageuse chevronnée **Evelyn Hannon** alias Journeywoman (**journeywoman.com**). « *C'est l'une des premières choses que je fais quand j'arrive dans une nouvelle ville. Je fais de petits achats pour avoir un sac arborant le logo du magasin. Pour éviter d'avoir l'air d'une touriste et pouvoir me fondre dans la foule, je laisse mon sac à dos à l'hôtel et je transporte mon appareil photo et mes cartes dans ce sac. Les voleurs sont moins enclins à saisir un sac d'emplettes qu'un sac à dos.* »

6- Utilisez votre environnement. Si vous avez envie de rester dans votre bulle, rédiger un journal de voyage peut vous permettre de montrer que vous êtes occupée.

7- Apprendre quelques mots clés dans la langue du pays facilitera la logistique du voyage en plus de démontrer votre respect envers les gens. Il existe une foule de petits guides de conversation en format de poche et des applications mobiles faciles à utiliser.

8- Dans plusieurs grandes villes, les commerçants et les faux guides ont compris que l'innocence et la naïveté des touristes peuvent leur rapporter gros. C'est plus flagrant dans certains pays, comme le Maroc ou la Grèce, où l'on n'hésite pas à gonfler les prix en voyant un voyageur hésitant. **Attention aux plans louches !** Apprenez à répondre plus vite qu'eux et, surtout, à rester ferme.

Bons plans pour rencontrer d'autres voyageurs

• **Participer à différentes activités.** Même si vous avez opté pour une formule tout compris au soleil, sortez explorer, partez à l'aventure ! Pourquoi ne pas vous inscrire à des activités par l'entremise du complexe hôtelier dans lequel vous séjournez ou prendre part à une excursion, si vous ne vous sentez pas à l'aise de partir explorer par vous-même ? En Jamaïque, par exemple, différentes visites guidées permettent de se lancer sur les traces de Bob Marley. Ces activités sont facilement accessibles et vous permettent de sortir du cadre du *resort*. Attendez-vous toutefois à devoir débourser un montant supplémentaire (variable selon le type d'activité choisi).

• **Séjourner en auberge de jeunesse (ou « guesthouses »).** Pas seulement pour une question de coût, mais pour l'aspect social ! Pouvoir échanger avec d'autres voyageurs dans les pièces communes permet de tisser des liens et de partager expériences et bons plans. La plupart offrent des chambres privées avec salles de bains privées ou communes. Et contrairement à la croyance populaire, elles ne sont pas réservées aux jeunes !

• **Fréquenter les cafés.** Encourageant les œuvres de peintres et de musiciens locaux vous aurez aussi l'opportunité de rencontrer d'autres voyageurs comme vous qui viennent utiliser Internet et qui sont ouverts à cette ambiance conviviale. N'hésitez pas non plus à demander au personnel des conseils sur les bons plans en ville.

• **Prendre part à des visites guidées.** En arrivant dans une ville, une bonne manière de prendre ses repères est de participer à une visite à pied ou à vélo (certaines sont même gratuites). « *Soyez sociables !* recommande **Janice Waugh**, 56 ans, auteure et blogueuse spécialisée dans les voyages en solo (**solotravelerblog.com**). *Plusieurs villes offrent des visites gratuites. Entrez votre destination et* "free walking tour" *dans un moteur de recherche pour les trouver. En vous joignant à ces groupes, vous en apprendrez plus sur la ville et aurez de la compagnie pour un moment. De plus, vous pourriez vous faire un ami avec qui aller souper.* » Renseignez-vous auprès du bureau d'information touristique de l'aéroport ou à la réception de votre hôtel !

• **Pratiquer une activité sportive.** Comme pour la plongée sous-marine ou les sports de voile, vous serez amenée à interagir avec les autres touristes. Que ce soit sur le bateau ou au centre de location, les opportunités de vous lier d'amitié avec les autres seront nombreuses puisque vous partagez la même passion. Souvent, la journée se termine autour d'un verre dans un bar ou un pub.

• **Fréquenter des sites web sur le sujet.** Bourse d'équipiers du **Routard** (routard.com/comm_bourse_equipiers.asp), **Qui veut partir** (quiveutpartir.com), **Go Aventure** (goaventure.com), **SoloMate Travel** (en anglais - solomatetravel.com), **Connecting Solo Travel Network** (en anglais - cstn.org).

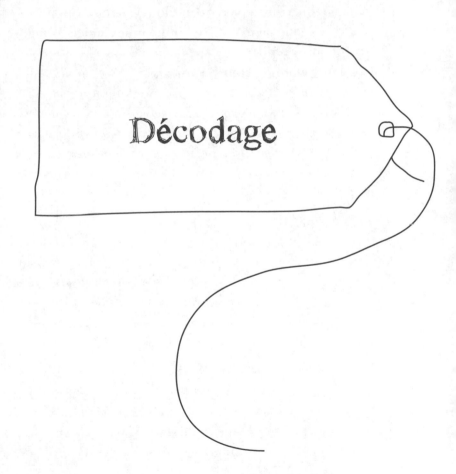

Décodage

Inde : guide de survie

Toutes celles qui s'aventurent en Inde sont unanimes : c'est le pays des extrêmes. Une seconde, vous êtes éblouie par ses beautés innombrables et à la suivante, vous êtes choquée. On s'y sent carrément sur une autre planète !

Le pays attire par ses traditions, sa spiritualité et sa gastronomie, tout en repoussant à cause de ses hordes de gens (ce qui n'est pas peu dire : le pays devrait devenir le plus peuplé au monde d'ici 2025 avec près de 1 400 milliards d'habitants), sa pollution, sa grande pauvreté, son chaos, ses conditions de voyage souvent rudimentaires…

Les Indiens vous le diront fréquemment : en Inde, tout est possible, même l'impossible ! Le mot qui décrit le mieux le pays selon la plupart des voyageurs : INTENSITÉ ! Vous risquez de vous sentir quelque peu déroutée, du moins les premiers jours, et de ne penser qu'à une chose : sauter dans le premier avion pour rentrer chez vous. Tenez bon ! Ça vaut le coup !

Voyager en Inde, c'est aussi accepter de découvrir une culture où la condition et la place de la femme dans la société sont loin d'être celles que vous connaissez en Occident et loin des anciens traités et sculptures érotiques de l'art d'aimer du Kâmasûtra. Une femme qui n'aurait pas préservé sa virginité avant le mariage risque d'être très mal perçue par sa communauté. Souvent mariées à l'adolescence avec un inconnu par un système d'alliances avantageuses pour les deux familles (avec l'aide de l'astrologue et sans doute d'une entremetteuse), sitôt les trois jours de cérémonie achevés, les jeunes femmes intègrent donc une famille et un clan féminin tout aussi inconnus que leur époux. À noter que le refus du mariage impliquerait presque assurément un rejet de la part de sa famille. Dans la majeure partie du pays, la femme se consacre aux tâches ménagères (entre autres connaître les recettes traditionnelles de sa nouvelle belle-famille) et à divers travaux physiquement éprouvants.

De son côté, l'homme sait depuis sa naissance qu'il ne choisira pas sa future épouse et que les rapports sexuels avec une Indienne avant le mariage, surtout de caste différente, lui sont interdits. Les villes indiennes ont presque toutes au moins un quartier dédié à la prostitution...

Sans vouloir justifier leur attitude (les nombreux viols dénoncés au cours des dernières années ont de quoi faire peur !), le contexte culturel particulier dans lequel grandissent les Indiens est l'une des raisons pour lesquelles certains s'emballent quand ils rencontrent des Occidentales, qu'ils perçoivent comme des filles aux mœurs légères.

Heureusement, les traditions évoluent et, bien que lentement, on sent peu à peu l'amorce d'un changement au sein des classes sociales plus aisées et éduquées ainsi que dans les grandes villes comme Delhi et Mumbai.

Comment parvenir à apprécier cette culture malgré ce fossé culturel ? En s'informant adéquatement et en restant vigilante.

1- Préparez-vous... à l'imprévu

Même si vous planifiez tout dans les moindres détails, par vous-même ou avec l'aide d'un professionnel, **le risque zéro n'existe pas**. Vous devrez constamment vous adapter aux événements : retards de trains, grèves, guides qui ne se présentent pas, sites fermés sans raison... Pensez

TOUJOURS à des plans B, C, D, E, etc. Sachez aussi que même en étant préparée au maximum, il est impossible de penser à tout. Voilà pourquoi mieux vaut être capable de rebondir et de s'adapter à toute situation en un temps record !

2- Voyagez léger

Si vous transportez votre « maison » sur votre dos, outre le fait de devenir une proie facile pour les voleurs, il vous sera plus difficile de réagir efficacement et rapidement. Si vous deviez abandonner ou perdre vos bagages, vous regretteriez d'y avoir mis vos plus beaux habits. Il y aura déjà tant de choses à gérer : évitez de vous surcharger et d'avoir besoin de l'aide des autres lors de vos déplacements !

3- Ayez des yeux derrière la tête et fixez vos limites

Méfiez-vous de quiconque envahit votre espace personnel, ignore vos protestations, vous insulte ou tente de vous faire culpabiliser si vous refusez ses avances.

4- Faites une scène

« *Ignorer des regards, des remarques ou des sifflements se fait plutôt aisément,* observe **Sophie Laroche**, enseignante de yoga ayant voyagé en Inde à plusieurs reprises, souvent en solo. *Mais s'il advenait qu'un homme se fasse plus pressant et vous approche de vraiment trop près, par exemple si l'un d'eux tente un contact physique dans un transport en commun, manifestez fortement votre désaccord.* »

Lors de ses nombreux voyages dans la région, Sophie a dû faire face à certaines situations plus délicates. « *Nous étions deux filles en train d'essayer d'allumer nos offrandes de prière pour les mettre à l'eau, raconte-t-elle. Sans trop savoir pourquoi, nous nous sommes retrouvées un peu en retrait de la foule. Il y avait cet homme qui voulait tellement nous aider... Nous nous sentions envahies. Il était si proche, si près ! Que voulait-il au juste ? Je me suis mise à crier en mélangeant l'anglais et le français pour qu'il me laisse en paix, lui disant que nous préférions être tranquilles. Je n'ai jamais vu un gars surpris comme ça ! Il a décampé sur-le-champ, non sans penser que j'étais un peu folle, sans doute !»*

5- Étudiez et décodez la gestuelle

Apprenez à maîtriser le signe de tête usuel, oscillant légèrement entre le oui et le non, utilisé pour à peu près tous types de réponses ou d'affirmations. C'est tout un art à maîtriser ! Souvent, quelles que soient les tournures de phrase que vous utiliserez pour poser vos questions – par exemple si vous cherchez votre chemin –, on vous répondra toujours par ce même signe de tête ambigu !

6- Gardez vos distances

Ne montrez jamais de signes d'affection envers un homme, aussi innocents soient-ils, car ils seront très souvent mal interprétés.

7- Dormez !

N'oubliez pas qu'un corps et un esprit reposés vous aident à rester alerte et à préserver votre système immunitaire. Valable pour toutes les destinations, mais plus particulièrement pour les endroits qui demandent votre pleine réactivité.

8- Vérifiez toujours que le bouchon de votre bouteille d'eau est bien scellé et n'a pas été recollé

(Oui, il arrive que des vendeurs, sur la rue, remplissent eux-mêmes des bouteilles vides avec de l'eau plus ou moins potable...) Cela vous évitera bien des désagréments !

9- Apprenez quelques rudiments d'hindi

10- Préparez-vous à devoir parfois uriner accroupie et à l'extérieur
Les conditions sanitaires des terminaux d'autobus et de train sont carrément... merdiques. Le port de la jupe longue est alors idéal !

11- Évitez de sortir à la tombée de la nuit car vous risquez de rencontrer des hommes qui ont pris un verre de trop
« Les Indiens en général ne semblent pas très bien tolérer les effets de l'alcool », observe **Valérie Simoneau**, fonctionnaire et enseignante de yoga, qui a travaillé comme guide et habité en Inde pendant sept ans.

12- Privilégiez les endroits fréquentés par des voyageurs. Ne restez pas seule
« Évitez les cabines de train où vous êtes la seule passagère et, de manière générale, de vous retrouver seule avec des hommes indiens », recommande Valérie Simoneau.

13- Respectez vos limites
Ne précipitez pas les choses. Allez à votre rythme et restez honnête avec vous-même, tant pour le type d'hébergement que pour la nourriture ou l'échange culturel. Si vous avez besoin d'une pause, allez passer quelques jours dans un pays voisin !

14- Habillez-vous le plus possible comme les femmes locales
« À la plage, si elles se baignent tout habillées, faites de même ou abstenez-vous, dit **Marie-Line Migneault**, conseillère

pédagogique, qui revient d'un voyage de 10 mois en solo en Inde. *Oubliez le bronzage en bikini, même si quelques touristes le font. Éloignez-vous des hommes qui viennent se baigner près de vous ou sortez de l'eau.* »

15- Essayez de garder vos mains dans vos poches lorsque vous passez devant un temple

Autrement, vous pourriez être obligée de serrer bien malgré vous les mains des vendeurs de rue qui vous demanderont de l'argent en échange du joli bracelet qu'ils auront passé en un temps record à votre poignet. Rien de bien méchant, mais vous préférerez ne pas vous retrouver dans ce genre de situation.

C'est avec humilité et sérénité qu'il faut aborder l'Inde pour parvenir à l'apprécier. En acceptant de ne pas tout comprendre, vous apprécierez mieux ses charmes et ses mystères. Pour beaucoup de voyageurs, l'Inde constitue l'expérience d'une vie !

10 DESTINATIONS PLUS FACILES POUR UN PREMIER CONTACT AVEC L'INDE

Voici quelques villes plus accessibles où vous vous sentirez plus en sécurité. Elles vous sont recommandées par plusieurs voyageuses qui ont bourlingué en Inde pendant une longue période. Vous y arrêter vous permettra de reprendre votre souffle ! Certaines sont en partie habitées par la communauté tibétaine, connue pour son sens de l'hospitalité. Malgré tout, n'oubliez jamais les mesures de sécurité élémentaires.

- **Amritsar, Pendjab**
- **Bodhgaya, Bihar**
- **Chennai (Madras), Tamil Nadu**
- **Dharamsala, Himachal Pradesh**
- **Darjeeling, Bengale occidental**
- **La région du Ladakh**
- **Les îles Andaman, océan Indien**
- **Munnar au Kerala et la région en général**
- **Rishikesh, Uttarakhand**
- **Shimla, Himachal Pradesh**

INDE : COMMENT NE PAS METTRE LES PIEDS DANS LES PLATS

Premier contact :

La formule de salutation dépend surtout de l'allégeance religieuse (plus encore que la langue d'usage). Pour les Hindous du Nord, le *« Namaste »* (ou *Namaskar*) est de rigueur. Pour ceux du Sud : *« Vanakkam »*. La salutation est pratiquée en joignant les paumes de mains ensemble, sous le menton et près du cœur, en penchant un peu la tête. Bien utile car serrer la main d'un homme indien pourrait créer un certain malaise.

Pour les Musulmans, posez la main sur le cœur en signe de « *Salam aleykoum* ».

Dans la région du Rajasthan, peuplée par de nombreux Indiens de confession jaïne, utilisez plutôt le « *Jain jinendra* ».

Choisissez plutôt le « *Sat sri akal* » pour les Sikhs de la région du Punjab (ou d'ailleurs).

Nommez quelqu'un en utilisant son titre (Docteur, Professeur, etc.) et non son prénom. Mieux vaut donner un titre quelconque que de l'omettre !

Se tenir debout, très droit, avec vos mains sur vos hanches pourrait être interprété comme une marque de colère, mieux vaut éviter, à moins d'être effectivement en colère !

La tête, en tant que fondement de l'âme et étant considérée comme sacrée, ne devrait jamais être touchée, même celle d'un enfant (tout comme leurs oreilles !).

Ponctualité :

Les Indiens apprécient généralement une certaine ponctualité, sans nécessairement la pratiquer eux-mêmes.

Si vous êtes invitée à manger quelque part, il est normal d'arriver 15 à 20 minutes en retard, surtout si l'on vous invite chez soi.

Dans les commerces :

Négocier fait partie des coutumes.

Ayez toujours de petites coupures sur vous, car souvent, les vendeurs de rue et les chauffeurs de taxi vous diront qu'ils ne peuvent pas vous rendre la monnaie.

Dans les temples :
La vache étant l'animal sacré par excellence pour les Hindous, évitez de porter du cuir, surtout à l'intérieur des temples.

Autour des temples bouddhistes, suivant la tradition, marchez dans le sens des aiguilles d'une montre.

Enlevez vos chaussures avant d'entrer chez quelqu'un ou dans un lieu de culte.

À table :
Utilisez votre seule main droite pour manger. La main gauche était traditionnellement utilisée pour se nettoyer après avoir déféqué... et donc considérée comme malpropre.

N'offrez pas de nourriture à quelqu'un directement de votre propre assiette.

Cadeaux :
Si vous êtes invitée à manger dans une famille indienne, apportez un petit cadeau comme du chocolat ou des fleurs (mais pas de fleurs de frangipanier associées à la mort).

N'emballez pas votre cadeau avec du noir et du blanc, couleurs considérées comme malchanceuses. Choisir plutôt du vert, du rouge, du jaune. Ne vous étonnez pas que vos hôtes ne déballent pas leur cadeau devant vous.

Si vous donnez de l'argent à quelqu'un (nous ne conseillons pas de le faire avec les mendiants), assurez-vous que c'est toujours un chiffre impair. Entre autres car cela signifie la continuation de la relation avec l'autre, au contraire du chiffre 0 qui symbolise la fin.

Conseils de pro :

« L'Inde vous attire et vous intimide à la fois ? Vous appréhendez un étalage de misère humaine en continu et en odorama ? Pour apprivoiser le sous-continent, séjournez d'abord au Kerala, tout au sud : le choc culturel sera moins grand en cet État qui compte parmi les plus riches et les plus progressistes du pays. Ce n'est pas la Suisse, notez bien, mais cette Inde "light" vous permettra de vous acclimater aux réalités locales avant, disons, de mettre le cap sur Varanasi, l'émouvante ville-mouroir... »

Carolyne Parent, 53 ans (« en route vers 32 ! »), journaliste voyage qui s'est rendue en Inde à maintes reprises, carolyneparent.com

« J'ai vécu l'Inde en solo et en couple. L'expérience est complètement différente. Les Indiens sont très respectueux, mais il m'est arrivé à plusieurs reprises de me faire tâter les fesses ou les seins subtilement dans une foule. Je ne me sentais pas pour autant en danger. On m'avait avertie que ça arriverait, mais je ne croyais honnêtement pas que la théorie serait mise en pratique.

Après plusieurs semaines seules en Inde, j'étais plus à l'aise et j'ai oublié à un certain moment que je devais faire attention à mes vêtements. J'ai porté un T-shirt qui laissait voir mes bras et j'ai été avertie par des femmes que j'étais un peu indécente. Je me suis même fait bousculer alors que je visitais un zoo. On me parlait en hindi, j'étais seule et désemparée. Dès le lendemain, je revenais aux vêtements amples.

Seule, j'ai beaucoup senti les regards sur moi. Souvent les familles s'arrêtaient pour se prendre en photo avec moi alors que je me rendais peinarde à mon cours de yoga. J'imagine que mes cheveux blonds "flashaient" dans le contexte. »

Julie Corbeil, 31 ans, réalisatrice pour Les Grands Explorateurs et enseignante en journalisme, vimeo.com/user2905333

Chine : 12 conseils pour un premier voyage

Aurélie Croiziers de Lacvivier, 32 ans, est blogueuse, auteure de guides de voyages et responsable de communication pour **evaneos.com**. Elle a eu l'occasion de voyager en Chine deux fois par an entre 2005 et 2009, avant de s'y installer de 2009 à 2011. La jeune Française a ainsi pu observer longuement les Chinois, dont les codes sociaux diffèrent beaucoup de ceux des Occidentaux. **Voici ses conseils pour celles qui s'y rendent pour la première fois :**

1- Très peu de Chinois parlent anglais (pratiquement aucun en dehors des grandes villes), alors c'est une bonne idée d'apprendre quelques termes de mandarin. Les Chinois essaieront de vous aider si vous les interpellez en chinois. Quelques mots de base seront utiles en toutes circonstances.

2- Les Chinois posent beaucoup de questions, ils sont souvent très curieux. Certaines questions vous paraîtront même indiscrètes. Ne vous en offusquez pas, c'est une façon de lier conversation.

3- Les Chinois n'extériorisent pas leurs émotions, il est donc difficile pour un Occidental de savoir ce qu'ils ressentent. En revanche, ils sont dotés d'un grand sens de l'observation : nos mimiques, soupirs et autres regards sont très bien décodés. À bon entendeur !

4- Autre point majeur : la face, un vaste sujet en Chine. La face est une sorte d'honneur, de fierté. Il ne faut jamais faire perdre la face à son interlocuteur, c'est-à-dire le mettre dans l'embarras, le contredire ouvertement, le mettre dans une situation où il devrait dire non, et tout spécialement en public.

5- Ne vous choquez pas d'une personne qui crache, braille au téléphone à quelques centimètres de vous, se mouche sans mouchoir, ou vous bouscule dans la rue. Ces pratiques sont courantes et ne sont pas considérées comme impolies en Chine... Cœurs sensibles, préparez-vous !

6- Vous ne trouverez ni nems, ni saké dans des petits verres avec des personnes dénudées au fond. Les premiers sont vietnamiens, les seconds n'ont simplement rien de chinois...

7- La cuisine chinoise est très variée, il existe huit grandes cuisines régionales, et d'infinies variantes. Le nom des plats est encore plus varié que les plats eux-mêmes, et il n'est pas toujours facile de commander au restaurant. Une technique simple est de regarder ce que mangent vos voisins de table, et de montrer les plats qui vous intéressent aux serveurs.

8- Quant aux baguettes... ne les plantez pas dans votre bol de riz, cela rappelle les baguettes d'encens des temples et symbolise la mort. De même, ne tournez pas le bec de la théière vers votre interlocuteur, c'est impoli.

9- La Chine est grande comme 17 fois la France, alors n'essayez pas de « tout voir » en trois semaines, ce serait comme vouloir voir toute l'Europe en aussi peu de temps !

10- Soyez prudents aux abords des routes et rues chinoises. Ici, le piéton n'est jamais prioritaire...

11- Méfiez-vous de la grandeur des villes, même si deux points ont l'air proches sur une carte, c'est souvent très éloigné à pied.

12- Je vous déconseille de parler politique ou droits de l'homme avec des personnes fraîchement rencontrées. Ce sont des sujets délicats, qui nécessitent confiance et tolérance mutuelles. À éviter lors d'un premier abord, si vous ne souhaitez pas mettre votre interlocuteur dans l'embarras.

Aurélie partage ses découvertes sur le blogue Curieuse voyageuse (curieusevoyageuse.com)

clic !

Un peu partout, surtout en Asie, on aime **photographier les étrangers.** Ne vous étonnez pas de vous faire arrêter dans la rue, surtout si vous détonnez ! Si la demande provient de familles ou d'autres femmes, profitez de l'occasion pour prendre des photos à votre tour ou entamer la conversation. Si au contraire, elle provient de groupes d'hommes et qu'elle vous semble inappropriée, refusez !

L'Amérique latine

Les mœurs varient selon les régions : en Amazonie, dans les Andes et sur la côte, les différences culturelles sont très marquées. Par exemple, les femmes de la côte vivent de façon plus moderne que celles des montagnes, d'ascendance autochtone, connues comme plus conservatrices. Les femmes ont de manière générale peu accès à des emplois et des salaires intéressants. Elles tendent à rester à la maison et à éduquer les enfants. Il leur arrive aussi d'occuper de petits boulots à temps partiel non déclarés, comme l'entretien ménager.

Pour les femmes, fonder une famille est très important et la carrière est souvent reléguée au second plan. Quand elles deviennent mères, il n'est pas rare de les voir démissionner, même si elles occupaient un travail satisfaisant. Elles se consacrent alors à la marmaille. Résultat : une relation mère-enfant souvent très fusionnelle. Ceci explique pourquoi les fils ont un respect sans bornes pour leur mère, souvent très autoritaire.

Certains accordent encore beaucoup d'importance à la couleur de la peau. Les Caucasiens sont parfois perçus comme des gens plus riches, éduqués, civilisés, sexy, etc. Ou alors, à l'opposé, on les méprise à cause de l'exploitation des premiers Européens ou de l'impérialisme américain. **Alexandra Rouff**, photographe québécoise et guide au Pérou depuis cinq ans, a appris à désamorcer les quiproquos potentiels en affichant ses couleurs d'entrée de jeu. « *En* *général, une petite discussion et un grand sourire font tomber les préjugés !* »

Les Occidentales sont souvent perçues comme des femmes plus libérales. Les hommes auront souvent tendance à vouloir flirter avec elles. Un sourire féminin ouvre effectivement les portes assez facilement.

Gaël Lejay, Français d'origine qui vit et travaille dans l'industrie du tourisme au Venezuela depuis de nombreuses années, fait toutefois cette mise en garde : « *Les voyageuses, les plus jeunes et plus naïves, sont souvent conscientes de leur pouvoir, voire parfois trop, et sont peut-être aussi inconscientes des conséquences que peut avoir une attitude trop familière envers les hommes. Soit par ingénuité ou parce qu'elles se considèrent assez malignes pour profiter de leurs charmes afin d'obtenir des faveurs, puis de repousser les avances lorsque celles-ci se feront trop pressantes.* »

Alexandra Rouff conseille de jouer cartes sur table dès le début : « *Soyez très claire sur vos intentions, car une ambiguïté sera perçue par un homme latin comme une invitation à vraiment… continuer !* »

De façon générale, les pays latins fonctionnent davantage sous une société « machista ». Oui, vous risquez de vous faire complimenter, interpeller ou siffler. Les hommes pourraient, de plus, ne pas toujours vous prendre au sérieux et vous aborder avec un air de supériorité. Restez maîtresse de la situation ! Soyez confiante et sachez vous faire respecter. Tuyau d'expatriées : les traiter avec la même autorité qu'une mère envers son enfant… Peut-être un peu simpliste *a priori*, mais efficace selon certains.

Au Pérou, ne soyez pas offusquée si l'on vous appelle « Gringo » qui, en général, n'est pas utilisé de façon méprisante contrairement à d'autres pays d'Amérique latine.

Même si de nombreuses *latinas* s'habillent de façon assez provocante, elles connaissent aussi la dynamique de la gent masculine. Plusieurs recherchent d'ailleurs une certaine validation dans les regards et les compliments des hommes, ce qui peut désarçonner les voyageuses indépendantes (et, disons-le, plus féministes !). Pourtant, elles ne semblent prêter aucune attention aux compliments lancés à la volée dans la rue… chose plus difficile à faire pour les voyageuses. Vous énerver, tant devant le comportement des hommes que celui des femmes, ne vous apportera rien de bon.

Par ailleurs, les femmes latines sont très soucieuses de leur apparence et très à cheval sur l'hygiène. Une voyageuse négligée, voire sale, suscitera l'hostilité et sera perçue comme un peu dérangée.

LANGAGE CORPOREL ET PROXIMITÉ AU BRÉSIL

La notion d'espace vital des Brésiliens n'est clairement pas la même que celle de la majorité des Occidentaux. Ne vous étonnez pas s'ils vous parlent… de très près ! Afin de ne pas les offenser, essayez de ne pas reculer… Tant les hommes que les femmes vous toucheront sans doute les bras, les mains, les épaules et ce, durant toute la conversation.

Selon la région où vous vous trouvez, ils vous embrasseront deux fois si vous êtes mariée, et trois si vous êtes célibataire, afin de vous souhaiter bonne chance pour trouver l'âme sœur !

Le signe « OK » qu'utilisent les plongeurs pour signifier que tout va bien est totalement inapproprié au Brésil et considéré comme très vulgaire.

Claquer des doigts en secouant votre main de haut en

bas ajoute l'accent à ce que vous affirmez.

Effleurer des doigts votre menton indique que vous ne connaissez pas la réponse à une question (en revanche, une tout autre signification – plutôt vulgaire ! – en Italie).

Astuce

Ce n'est pas perso !

Gardez en tête que la plupart des réactions envers vous sont principalement basées sur la curiosité. Certains comportements vous sembleront déplacés selon l'étiquette de votre pays. Le concept de la « bulle », soit de garder une distance d'environ un mètre entre deux individus, n'existe qu'en Occident. Ne vous étonnez donc pas, par exemple, que l'on s'approche un peu trop près à votre goût : c'est une simple question de culture !

LES ARGENTINS, CHAMPIONS DE LA DRAGUE ?

Française installée à Buenos Aires, **Fanny Dumond** partage ses trouvailles, ses observations, ses tranches de vie et ses coups de gueules dans le blogue *Destination Buenos Aires*. Elle s'est notamment penchée sur le mâle argentin, dont la réputation de dragueur dépasse largement les frontières de son pays. Nous n'avons pas résisté à l'envie de partager avec vous son savoureux billet « Être une femme à Buenos Aires, mode d'emploi ».

« *"Femmes je vous aime" pourrait bien résumer mon propos.*

1- Ici, femme tu es, de l'instant que tu franchis la porte de chez toi le matin et jusqu'au soir. Tu n'es pas dans le métro à Paris. Tu ne passeras jamais inaperçue. Transparente, tu ne seras pas, même pas la nuit sur un trottoir mal éclairé.

2- Ici, tu es una mina, una piba, una chica, una mujer, una señorita, una señora. *Ta féminité prend tout son sens, prépare-toi. En ton honneur on a même appelé le pont le plus célèbre de la ville le "puente de la Mujer". Pour te dire.*

3- Si tu es jolie et/ou que tu as de bonnes fesses (una linda cola) et/ou des seins (lolas) qui se remarquent tout seuls ou que tu les montres un tant soit peu, tu es hermosa, muy linda, un bombon.

4- Tous les hommes de 7 à 77 ans te perçoivent, te voient et te regardent. Tous. C'est la tradition, la culture, dans les gènes, comme tu voudras, mais c'est un fait. Si tu es déjà allée un jour en Italie du Sud, dans des pays sud-américains ou arabes, tu sais ce que je veux dire.

Être une femme te donne donc quelques avantages et passe-droits, alors autant en user.

– On te cède facilement la place dans le métro ou dans le bus.

– On te laisse monter la première dans le wagon de métro ou dans le bus.

– Parfois le chauffeur de colectivo *veut te montrer que tu ne lui déplais pas et ne te fait pas payer le ticket (vécu).*

– Ou il s'arrête pour te faire descendre juste là où tu lui as dit que tu comptais aller, même s'il n'y a pas d'arrêt (vécu).

– Ou il s'arrête dans la rue pour te faire monter, même s'il n'y a pas d'arrêt (vécu).

Ceci est aussi possible pour les hommes mais c'est moins

systématique. D'ailleurs, sans réfléchir, j'ai voulu tenter la même chose lors de mon dernier séjour en France, tellement habituée, j'ai voulu héler un bus dans la rue comme on hélerait un taxi ! Je me suis bien ramassée comme une vieille chaussette.

– Tu peux négocier de super tarifs au vidéoclub, et rendre les films plus tard que prévu, avec un sourire, ça s'arrange toujours (vécu).

– D'une manière générale, personne ne te parle mal ou n'est agressif.

Tous les hommes argentins de 7 à 77 ans donc, potentiellement, peuvent se retourner sur ton passage, arrêter deux secondes leur conversation, te lancer un compliment, te demander un numéro de téléphone, te suivre quelques mètres dans la rue... Ils ont partout dans le monde cette réputation de tombeurs et après deux ans ici je peux témoigner que c'est bien mérité. On l'aura compris : inactif et timide, l'homme argentin n'est pas. Bien au contraire, il avance et ne recule jamais de peur de se prendre un "NO". Ici un dicton célèbre dit "El no ya lo tenes". Traduction littérale : "Le non tu l'as déjà", donc tu ne peux que gagner un oui. Bien vu, non ? Donc pas d'orgueil mal placé, ou de peur du ridicule, on essaie, on tente, et que le meilleur séducteur gagne. Te voilà prévenue.

Illustrations concrètes : tu ne seras pas surprise que ton élève de français de 24 ans tente sa chance auprès de toi, prof trentenaire, tout comme celui qui en a 60 (vécu). Pas plus que si un médecin te propose à la fin de la consultation d'aller boire une bière un de ces quatre, tout en portant une belle alliance (vécu). Ou qu'un fonctionnaire te cherche et t'envoie une demande d'amitié sur Facebook environ deux heures après l'avoir vu dans un bureau (vécu).

Les Argentins, hommes et femmes, ont un don pour la conversation. Ils s'intéressent à toi et te posent toujours des questions. Donc le séducteur argentin n'a aucun mal à nouer le contact, imagine-toi.

Tu ne l'as pas vu arriver qu'il est déjà à côté de toi. (Il faut savoir par ailleurs qu'il peut disparaître aussi vite qu'il est rentré dans ta vie, mais là n'est pas le sujet.) Il vient généralement t'aborder sans trop attendre, seul ou en groupe, accompagné de congénères. Je n'ai jamais encore entendu ici l'histoire d'une fille qui ait eu besoin de faire le premier pas. Pour les timides, c'est assez pratique. Il paraît même qu'avant, les hommes étaient encore plus entreprenants.

Deux amis m'ont raconté comment s'étaient connus leurs parents. Pour l'un, le père a flashé sur la mère dans le colectivo, est descendu au même arrêt qu'elle et l'a suivie dans la rue pour lui demander son numéro de téléphone. Pour l'autre, son père était en train de conduire quand il a vu sa mère rentrer dans un magasin, s'est arrêté, y est rentré lui aussi, s'est rendu compte qu'elle y travaillait et l'a attendue le soir à la sortie. Ça laisse rêveuse, non ?

Le prédateur argentin est toujours très démonstratif, très expressif, toujours. Ajoutez à cela que l'Argentin moyen a oublié d'être moche (c'est mon avis), cela crée parfois un cocktail explosif. Attention aux nouvelles arrivées (et même aux "vétérantes") : risque accru de perdre la tête ! Il embrasse sans gêne (qui n'a pas vu un couple de porteños se rouler des pelles en public n'a rien vu). Et il aime embrasser. J'ai remarqué d'ailleurs une certaine obsession pour le " beso". On entendra facilement " me das un beso ? " ou " te puedo robar un beso ? ". Cela semble au début un peu enfantin, passé l'âge de la puberté, mais on s'y habitue. Le premier beso accordé lui donne un avant-goût de victoire.

L'Argentin manie l'art du piropo, du compliment, plus ou moins subtilement, mais toujours très spontanément (et avec toutes les nanas, tu penses bien). Que lindos ojos, que boca preciosa, sos mas linda que el Obelisco... Du plus classique au plus kitsch.

L'apothéose de cet art se démontre tous les jours dans la rue. Tu t'habitues aux sifflements et commentaires du style " me enamore", " me caso con vos", " te quiero dar 3 hijos" bla bla bla. Un test qui réussit à tous les coups : tu passes devant un *chantier en construction. Effet push-up auto-estime assuré ! Si aucun homme ne te fait de commentaire, de compliment ou ne te siffle, alors fais-toi du souci.*

Détail croustillant : comme partout en Amérique du Sud, il existe à Buenos Aires une offre pléthorique de " télos" (verlan d'hôtel), qui se reconnaissent aux néons rouges le soir et à leur entrée de parking souterrain, tout en discrétion. Dans ces hôtels, on loue des chambres à l'heure, à la demi-nuit, à la nuit. Des hôtels de passe on dirait chez nous, sauf que c'est pour Monsieur et Madame Tout-le-monde. Du plus basique au plus chic, avec jacuzzi, matelas à eau, miroir au plafond, chambres à thèmes. Tout est question de budget. On en trouve dans tous les quartiers, avec une forte proportion dans les quartiers de bureaux, comme par hasard. Tout le monde y va, le petit frère de 16 ans qui n'a nulle part où emmener sa petite amie, les jeunes adultes qui n'ont pas les moyens de quitter la maison de papa-maman, le couple qui vient de se rencontrer en boîte, les amants, maîtresses, patrons, secrétaires, collègues de bureau de 5 à 7. Amours adolescentes, amours fugaces, amours clandestines, amours occasionnelles ou histoires fraîches, tout le monde va au télos. Toi parfois tu marches dans la ville, tu reconnais leur devanture si spéciale, tu penses à ce qui se passe à l'intérieur et ça te fait sourire…

Tu vas voir, Sexy Aires va te plaire, on parie ! »

Si vous comptez mettre le cap sur l'Argentine, nous vous recommandons aussi son « Mode d'emploi de survie sentimentale à l'usage des âmes romantiques ». À lire sur **destino-buenosaires.com** !

SEXE ET SÉDUCTION

Si vous voyagez seule, sachez que dans certains pays, l'afficher/le revendiquer peut être considéré comme une invitation à la séduction. Il se peut même que, si vous voyagez avec un autre Occidental en Inde, certains hommes se permettent de vous questionner sur votre statut… particulièrement à l'horizontal. Restez ferme et répondez que ça ne les regarde pas.

Évitez les clins d'œil, même complices. Leur interprétation varie beaucoup selon les cultures et pourrait passer pour une invitation sexuelle !

Dans la mesure du possible, **évitez carrément tout contact visuel**, surtout quand on vous fait des avances. Retourner un regard peut vouloir dire que vous êtes à la fois disponible et accessible. Une astuce, si vous ne pouvez pas vous en empêcher : **portez des verres fumés** dans les endroits publics.

« En contact avec des hommes pendant le voyage, s'ils tentent rapidement d'établir une relation de séduction, placez tout de suite une mention relative à votre état civil pour rappeler votre propre statut de voyageuse (temporairement ou exceptionnellement) solitaire, confie Marie-Ange Ostrée, blogueuse (unmondeailleurs.net) et éditrice du webzine *Repérages* (issuu.com/magazine_reperages_voyages). *Par exemple, je m'arrange toujours pour citer mon fils, mon mari (quitte à mentir un peu !). Demandez aussi à l'autre s'il a des enfants afin de lui faire comprendre que vous le considérez comme un père et non comme un homme. Ça fonctionne plutôt bien ! »*

Le tour du monde
en plus de 80 activités

Vous avez envie de voir le plus de choses possible, mais votre budget est réduit ? Voici une foule de suggestions d'activités à faire un peu partout sur la planète. Si nous en avons déniché plusieurs gratuites, nous avons également demandé à des blogueurs et voyageurs aguerris qui ont ratissé plus particulièrement certains coins du monde de dresser la liste de leurs coups de cœur, peu importe le prix, parce que, quand on le peut, certaines expériences valent vraiment leur pesant d'or. Nous partageons aussi les nôtres !

Astuce

Les offices de tourisme

En arrivant dans une ville, il est toujours utile de s'arrêter à l'office de tourisme. On y trouve une foule de cartes et de brochures gratuites qui pourront vous inspirer. Certains ont aussi des applications mobiles, parfois gratuites, qui vous permettront de découvrir l'endroit de manière autonome. En voici quelques exemples :

• Téléchargez sur votre téléphone intelligent un audioguide MP3 de la ville de **Boston** qui vous permettra de découvrir la ville à votre rythme. L'office de tourisme offre aussi de la documentation pour emprunter différents sentiers urbains. L'histoire de la ville vous intéresse davantage ? Parcourez les sentiers du Boston Freedom Trail, un trajet de 4 km ou du Black Heritage Trail, à travers les collines. L'architecture vous parle davantage ? Découvrez le sentier à travers le quartier de Beacon Hill qui vous dévoilera ses maisons en briques rouges. Vous cherchez une atmosphère typique italienne ? Ne manquez pas le sentier traversant le quartier de North End. Deux applications mobiles sont suggérées :
  - **welcome-to-boston-audio-tours**
  - **thefreedomtrail.org/book-tour/samrt-phone.shtml**

• Grâce à la brochure de l'i-SITE, partez à la surprenante découverte des bâtiments art déco de **Napier, en Nouvelle-Zélande.**

• **L'office de tourisme de Dijon** a pour sa part concocté une application sur Le Parcours de la chouette (visite qu'on peut aussi faire avec un guide en chair et en os), du nom de la statue porte-bonheur. Ce parcours permet de découvrir la ville en 22 étapes et est disponible en une dizaine de langues au coût de 3,50 €/5 $CAD. Une version pour enfant existe aussi (2,50 €/3,50 $CAD).

• Les offices de tourisme proposent bien sûr de nombreuses visites guidées par quartiers ou thématiques précises, généralement à coût assez abordable. Des parcours un peu décalés permettent de découvrir des villes sous un tout autre jour. Les mordus d'histoire aimeront par exemple *Imayana, Bordeaux XVIIIᵉ siècle en réalité augmentée*, proposée par **Bordeaux Tourisme et Congrès**. Munis d'un iPad (remis lors de l'achat du billet – il n'est pas possible d'utiliser sa propre tablette), les participants partent à la découverte de la ville à pied. À l'approche de différents points d'intérêt (neuf, au total), des animations se mettent en marche quand on braque la caméra de la tablette. On voit par exemple une statue s'animer et nous raconter un bout d'histoire, ou un bâtiment qui n'existe plus aujourd'hui reprendre vie à l'écran. Depuis mai 2015, on peut également télécharger un parcours incluant la réalité augmentée à Montréal. Nom à retenir : *Montréal en histoires*. Info : **montrealenhistoires.com**

• La course à pied étant une activité de plus en plus populaire, il existe également des itinéraires pour ses adeptes. C'est le cas de Bordeaux Tourisme et Congrès, notamment. **Info : napiernz.com, fr.bordeaux-tourisme.com**

• L'audioguide du **Millenium Park par la ville de Chicago** est aussi à noter si vous passez par Windy city. **Info : cityofchicago.org/city/en/depts/dca/supp_info/ millenniumparkaudio.html**

Les grands marchés du monde

Nous raffolons des marchés. Ils sont au cœur de la vie quotidienne et révèlent beaucoup plus que les habitudes alimentaires des habitants d'un pays. C'est l'endroit où faire des découvertes étonnantes, goûter une foule de spécialités locales, rencontrer des gens sympathiques et avides de partager leur culture. Plusieurs communautés ethniques des montagnes ou régions éloignées s'y retrouvent chaque semaine pour faire des échanges commerciaux (bétail, fruits et légumes, riz, thé, café…). En voici quelques-uns à découvrir pour un dépaysement assuré :

• **Marché aux Sorciers de La Paz, Bolivie.** À ne pas manquer ! On y vend des herbes magiques, des amulettes porte-bonheur et même des fœtus de lama, éléments essentiels aux cérémonies chamaniques.

• **Marché d'Amphawa, Thaïlande.** Un vrai marché flottant authentique, contrairement à plusieurs autres situés près de Bangkok (évitez celui de Damnoen Saduak – un attrape-touristes !). Il a lieu du vendredi midi au samedi. Prévoyez deux jours pour en profiter et faites un arrêt aux temples d'Ayutthaya au retour.

• **Marché de fruits et légumes de La Boqueria à Barcelone, Espagne.** Adjacent à la fameuse avenue de La Rambla, ce marché couvert est un vrai régal. On s'y arrête pour acheter des fruits, des bonbons, des fruits de mer frais du matin ou pour le pique-nique que vous mangerez plus tard sur la plage.

- **Marché Chelsea, à New York, aux États-Unis.** En quinze ans, ce marché de *Meatpacking District* est devenu une attraction incontournable. Se décrivant comme « un marché de quartier avec une perspective internationale », l'endroit permet de faire de nombreuses trouvailles, tant côté mode que côté bouffe. À deux pas du marché d'épices, vous trouverez l'excellent café de Ninth Street Espresso, un stand de beignets (Doughnuttery) et une succursale de la boutique branchée Anthropologie.

- **Marché public d'Albert Cuypstraat d'Amsterdam, Hollande.** Ici, les marchands vous offrent une multitude de produits et aliments provenant de divers pays d'Europe. Imaginez aussi les couleurs et les odeurs de l'immense **Bloemenmarkt**, l'unique marché aux fleurs flottant au monde sur le canal Singel !

- **Marché de Chatuchak de Bangkok, Thaïlande.** L'un des plus grands marchés d'Asie où l'on trouve de tout, mais surtout des souvenirs. À visiter le week-end. Arrêtez-vous aussi au **marché de nuit Rod Fai**, le seul marché d'articles vintage, de 17 heures à minuit les vendredi, samedi et dimanche. Méconnu, c'est également un bon endroit pour prendre un repas.

- **Marché Sandaga de Dakar, Sénégal.** Pour une vraie expérience parmi les Sénégalais. Situé au cœur de la ville, il est facile de s'y rendre. On y achète des vêtements et de l'artisanat, accompagné par l'odeur du *thiouraye*, l'encens local. Besoin d'une nouvelle télé ? Vous en trouverez une aussi ! Tant qu'à y être, profitez-en pour prendre quelques légumes et de la viande pour le repas du soir… Mais vous êtes prévenue : il y a foule ! Préparez-vous aussi à négocier et à être constamment interpellée. Épuisant, mais fascinant. Pour le poisson, on va plutôt du côté de **Hann-Pêcheur** quand les hommes reviennent en pirogue, à la fin de la matinée.

- **Marchés publics de Boston, États-Unis.** Déambulez dans l'un des nombreux marchés et fraternisez avec les producteurs locaux. Des spectacles de rue sont aussi présentés au **Faneuil Hall Marketplace.**

- **Marché aux puces de Panjiayuan de Beijing, Chine.** Situé dans le coin sud-est du troisième périphérique de la ville, ce marché se concentre principalement sur les antiquités, l'artisanat, les objets de collection, de décoration, etc. On y trouve plus de 4 000 kiosques. Près de 10 000 commerçants le fréquentent sur une superficie de 48 500 m².

- **Marché aux puces de Mauerpark à Berlin, Allemagne.** Surtout pour le rendez-vous dominical au karaoké Bear's Pit où les mordus se rassemblent à l'amphithéâtre du parc et se prêtent joyeusement à cette activité publique devant la foule.

- **Marché de Warorot de Chiang Mai, Thaïlande.** Pour y retrouver de superbes textiles et ses marchés attenants pour les fleurs et les fruits et légumes.

- **Marché de Chichicastenango, Guatemala.** Ouvert le jeudi et le dimanche, on y trouve à peu près de tout : artisanat, poteries, aliments, fleurs, plantes médicinales, animaux, etc. La plupart des communautés ethniques des montagnes s'y retrouvent pour proposer leurs produits !

- **Marché de San Pedro de Cusco, Pérou.** Situé près de l'église du même nom et de la Plaza de Armas, le marché offre fruits frais, légumes, viandes, textiles, artisanat. Poursuivez par le **marché du week-end de la Plaza Tupac Amaru** ou celui de **Baratillo** (le marché des contrebandiers) le samedi matin.

- **Marchés de Georgetown, île de Penang, Malaisie.** L'une des capitales de la gastronomie avec ses nombreuses découvertes culinaires : des mets végétariens chinois aux currys indiens et bien plus !

• **Marchés ambulants des plages de Surfer's Paradise sur la Gold Coast australienne**. Souvenirs, cadeaux, artisanats, produits de beauté, bijoux fantaisie, etc., s'étendent le long de l'esplanade entre Hanlan Street et Elkhorn Avenue, tous les mercredis et les vendredis de 17 à 22 heures.

• **Marché de nuit de Dong Xuan d'Hanoi, Vietnam.** Principalement fréquenté par la population locale, il dispose d'un large éventail de produits comme des jouets et des vêtements.

• **Marché de Ben Thanh à Ho Chi Minh, Vietnam.** Ici, sont amassés pêle-mêle à peu près tout ce que vous pouvez imaginer : des épices aux articles ménagers, des souvenirs aux textiles et des bijoux. Les **marchés nocturnes Minh Phung** et **Ky Hoa** sont également des endroits intéressants pour faire de bonnes affaires et savourer de succulents mets locaux, tels un fameux *pho*, une soupe de nouilles de riz agrémentée de morceaux de bœuf, de poulet et d'herbes fraîches, ou bien une crêpe fourrée *bánh xèo* (on ne trouve pas moins de cinq cents plats nationaux au Vietnam !).

• **Marché des animaux vivants d'Hong Kong, Chine.** Traversez les échoppes de l'étroite rue **Graham** pour vous retrouver au milieu des poissons rouges, considérés là-bas comme des porte-bonheur, crustacés et tortues. Prenez votre courage à deux mains et goûtez aux « œufs de cent ans », œufs de poule, de cane ou de caille préalablement marinés dans un mélange de sel, de citron vert, d'argile et de paille de riz (tiges de certaines céréales) pendant plusieurs semaines. Un plat typiquement cantonais !

• **Bazars d'Istanbul, Turquie.** Plus de 4 000 boutiques qui vendent de tout. Le **Grand Bazar** est le plus grand (54 653 m²) et le plus ancien (datant de 1455, après la conquête de Constantinople par l'Empire Ottoman) marché couvert du monde. Attendez-vous à devoir négocier. À visiter aussi pour raviver vos sens : le **Bazar égyptien** à épices. Du côté oriental de la ville, le **marché public de Kadiköy** est à visiter afin d'y retrouver des produits frais et en vrac.

• **Marché Barabazar de Kolkata (Calcutta), Inde.** Vers le nord du Dalhousie Square, l'énergie du Barabazar rend l'expérience vraiment intéressante afin d'y observer la population se procurer ses articles du quotidien dans de petites échoppes spécialisées !

• **Marchés Camden Lock de Londres, Angleterre.** Vivez l'ambiance branchée du marché extérieur et intérieur de Camden. Des produits agricoles frais aux friperies chic en passant par le vendeur itinérant de vieux vinyles, c'est l'endroit pour déguster un plat éthiopien ou jamaïcain.

• **Marché de nuit de Luang Prabang, Laos.** Vous y retrouverez un artisanat aux motifs uniques en Asie, fait par diverses communautés ethniques du nord, comme nulle part ailleurs en Asie.

• **Marché de Jemaa el-Fna de Marrakech, Maroc.** Un vrai marché en plein air avec une foule d'animations de rue et entouré de souks.

• **Marchés de Mexico City, Mexique.** Le Mercado de Artesanias de la Ciudadela, célèbre pour ses métiers d'art, le Bazaar Sábado du samedi à San Angel pour son artisanat de qualité, l'immense Mercado La Lagunilla (surtout le dimanche) où on offre à la fois vêtements, électronique et antiquités, le Mercado de la Merced pour ses légumes et ses produits alimentaires et enfin, le marché de Sonora pour tout le nécessaire de sorcellerie type *santa muerte*.

• **Marché central Phsar Thom Thmei de Phnom Penh, Cambodge.** Sous un dôme de style Art déco jaune citron, retrouvez des centaines de kiosques : sandales, bijoux, fruits tropicaux, insectes frits, foulards de Khama, etc. Les vendredi, samedi et dimanche soir, vous retrouverez le **marché de nuit de Phsar Reatrey**, à proximité.

- **Marché Livre de Feira de Rio de Janeiro, Brésil.** Vous trouverez fruits tropicaux, légumes, fines herbes et fleurs d'Amazonie. Tout un spectacle de voir les vendeurs chanter ou crier pour vendre leurs marchandises.

- **Marché public de San José, Costa Rica.** Plongez dans la culture locale en flânant au vieux marché public de San José : souvenirs artisanaux, fruits exotiques et légumes, pâtisseries et café.

- **Marché du Barrio Brasil de Santiago de Chile, Chili.** Les dimanches, vous verrez un immense marché de vêtements de seconde main, d'objets d'art, des spectacles de rue, des diseuses de bonne aventure, etc.

- **Marché Noryangjin de Séoul, Corée du Sud.** Tôt en matinée, assistez aux encans de poissons. Ou bien, découvrez le **marché Namdaemun** de vêtements et articles du quotidien.

- **Marché de nuit de Shilin à Taipei, Taïwan.** Impossible d'aller à Taïwan sans s'arrêter dans au moins un marché de nuit. Celui-ci étant l'un des plus réputés, il est, par conséquent, l'un des plus fréquentés. On y trouve un condensé de la société taïwanaise. Des gens de toutes les classes sociales s'y côtoient. Des enfants dégustent des fraises trempées dans un sirop, pendant que leurs parents se régalent du « tofu puant » (traduction littérale). On y trouve autant des vêtements que des jouets et des gadgets inutiles, comme des articles à l'effigie des mangas les plus populaires. À éviter les soirs de week-end, à moins d'avoir envie d'un bain de foule extrême.

- **Marché Tsukiji de Tokyo, Japon.** Archi-connu, le plus grand marché de poissons du monde reste un incontournable. Assistez à la vente aux enchères des thons, dont certains pèsent jusqu'à 300 kg (il faut faire la queue à partir de 4 h 30 !). En prenant l'ascenseur B1 du DENTSU jusqu'au 46e étage, profitez d'une vue imprenable sur le marché et la baie de Tokyo.

• **Marché Bogyoke Aung San de Yangon (Rangoon), Birmanie.** Une centaine de boutiques, cafés, barbiers, coiffeurs, bijouteries, marchands d'oiseaux et autres s'y côtoient.

• **Souq Waqif de Doha, Qatar.** Pour avoir un aperçu du Doha plus traditionnel, où l'on trouve aussi bien des étals de vêtements et d'épices, qu'un hôpital et une boutique pour faucons. Un incontournable dans une ville aussi tournée vers le futur !

• **Marché en fer, Port-au-Prince, Haïti.** On vous mettra en garde contre des voleurs potentiels et des gardiens de sécurité vous suivront peut-être dans les allées pour vous protéger (parfois plus irritants par leur insistance que les agresseurs potentiels !), mais l'endroit reste tout de même intéressant. On y trouve des fruits comme de l'artisanat. L'édifice a été reconstruit suite au tremblement de terre de 2010.

• **Ladies market, Hong Kong.** Si vous cherchez des bijoux, des vêtements, des souvenirs et autres babioles, c'est là qu'il faut aller. N'oubliez pas de marchander !

• **Marché de nuit de Miaokou à Keelung, Taïwan.** Keelung est située au nord de Taipei, et son marché est bien moins étourdissant que ceux de la capitale. On s'y régale de sashimi bien frais, de dumplings, de calmars cuits sur le grill et présentés sur un bâton. Un lieu charmant où il fait bon flâner, accessible en transport en commun depuis la capitale (train ou autobus).

5 expériences européennes

Grande amoureuse de l'Europe, la Québécoise **Marie-Ève Vallières**, 27 ans, a vécu en Angleterre et en France. Elle a profité de ses périodes d'exil pour ratisser le continent et raconter ses coups de cœur sur son blogue eurotriptips. com, aujourd'hui rebaptisé **toeuropeandbeyond.com.** Les expériences qui l'ont le plus marquée ?

1- Les vignobles de Lavaux, en Suisse. « *C'est une expérience qui englobe plusieurs aspects de l'Europe, soit le vin, la cuisine, les paysages (le lac Léman et les Alpes), l'histoire et l'architecture du xvᵉ siècle dans les villages environnants. Un genre de* « one stop shop », *comme disent les Anglo-Saxons.* » Info : lavaux.ch/SRC/2010/index.html

2- Cassis et les Calanques, en Provence. « *Parce que dans une journée, c'est possible de se faire bercer par la mer en admirant les falaises et de boire un kir sur une plage bordée d'une marina très colorée. La carte postale, quoi !* »

3- Le quartier bobo-chic Södermalm, à Stockholm. « *Pour ses friperies vintage, ses cafés en terrasse et ses* hipsters *d'avant-garde qui redéfinissent la mode de demain.* »

4- L'île de Skye, en Écosse. « *Pour ses paysages dignes de la Lune et ses charmants villages de pêcheurs. Parfait pour un* fish & chips *frais du jour arrosé d'une bière locale.* »

5- Dresde, en Allemagne. « *Pour véritablement comprendre l'effet de la Deuxième Guerre mondiale sur l'Europe et de la résilience de ses habitants ; l'exceptionnelle architecture baroque de la ville a presque été entièrement rasée et reconstruite à l'identique.* »

LES MUSÉES DE LONDRES

La plupart des musées à Londres sont gratuits ! Le **musée Kensington**, situé dans les édifices qui abritaient les seigneurs bien nantis, compte une collection de voitures Rolls Royce. Au **musée d'Histoire naturelle**, on peut voir des squelettes de dinosaures ainsi qu'une faune variée de reptiles et d'insectes au **Centre interactif de Charles Darwin** du musée, tandis que le premier train à vapeur du monde donne le rythme au **musée des Sciences**. L'élégant **Victoria and Albert Museum**, dédié à 5 000 années de la mode et du design, du tissage persan de tapis à la mode punk de Vivienne Westwood, ravira les fashionistas. Ne manquez pas la **Galerie nationale d'art moderne de la Grande-Bretagne** ainsi que la **Tate Modem Gallery**, renommée pour ses œuvres de Lichtenstein, Warhol, Picasso, Dali et Rothko. **Info : timeout.com/london/museums/free-museums-inlondon**

Visites gratuites de villes

La compagnie SANDEMANs NEW Europe propose des visites guidées gratuites dans 18 villes. À **Amsterdam**, aux Pays-Bas, découvrez le quartier chaud du *Red Light*, lcs incontournables *coffee shops,* ou faites une simple visite de la ville à pied ou à vélo. À **Berlin**, en Allemagne, prenez part à une promenade qui vous entraînera de la ligne de l'ancien mur de Check Point Charlie vers la belle place Gendarmenmarkt, l'île des musées et ses anciens jardins royaux Lustgarten.

À **Copenhague**, en plus d'un tour de ville, une tournée des pubs est proposée. À **Lisbonne**, en plus de la tournée des pubs (décidément) et d'une visite de la ville, les quartiers médiévaux de Belém et d'Alfama font partie des options. À **Tel Aviv**, deux visites de la ville sont au programme tout comme à **New York**, où une troisième, en espagnol, est en plus offerte.

Bien entendu, un pourboire est fortement recommandé (entre 4-7 €/5-10 $CAD) ! C'est grâce à ces bonus que les guides peuvent continuer à partager leur amour de leur coin de pays. Plusieurs départs sont offerts quotidiennement dans chacune des villes.

Infos générales et lieux de rencontres :
- newamsterdamtours.com, newcopenhagentours.com,
- newlisbontours.com, newberlintours.com,
- newtelavivtours.com, sandemansnewyork.com

QUAND LA VILLE FAIT SON CINÉMA

Qui n'a pas eu envie de découvrir un lieu à cause d'un film ou d'une série télé ? La popularité des visites sous cette thématique ne se dément pas. À **New York** et **Boston**, On Locations Tours propose les très populaires circuits consacrés aux séries à succès *Sex and the City, Gossip Girl* et *Les Soprano*. Le circuit des sites de films et séries TV à New York (général) est le seul disponible en français.

À **Los Angeles**, Starline Tours vous emmène voir des lieux de tournages de films aussi variés que *Blade Runner, The Artist, Catch me if you Can* et *Iron Man 3*. À **Chicago**, partez sur les traces de *Ferris Bueller's Day Off, The Blues Brothers* et même *North by Northwest* avec Chicago Film Tour.

Du côté de **Paris**, la mairie met à la disposition des cinéphiles des Parcours cinéma téléchargeables en format pdf. Préférez-vous plonger dans l'univers de Woody Allen avec *Minuit à Paris* ? Dans celui de *Gainsbourg, vie héroïque*, de Joann Sfar ? Ou alors du charmant *Ratatouille* de Disney ? Le Louvre offre pour sa part le parcours *Da Vinci Code, huit siècles d'histoire*.

À **Londres**, l'incontournable Harry Potter vous invite aussi à découvrir son monde magique. Visit London vous indique les lieux clés à ne pas manquer.

Les mordus de cinéma connaissent par ailleurs probablement le site Movie Locations Guide, qui permet de retracer les lieux de tournages de centaines de films. Un bon point de départ pour créer vos propres itinéraires ciné !

Info : onlocationtours.com, starlinetours.com/los-angeles-tour-9.asp, chicagofilmtour.com, parisfaitsoncinema.com, louvre.fr/node/1560, visitlondon.com/things-to-do/sightseeingtourist attraction/harry-potters-london, movie-locations.com/

Visites « guidées »

VISITE EN COMPAGNIE D'UN « GUIDE » BÉNÉVOLE

Un nombre grandissant de villes propose les services de « guides » bénévoles. Qu'on les appelle « *greeters* », « *Cicerones* » ou autres, l'objectif est de vous faire découvrir leur coin de pays de façon personnalisée. À Paris, par exemple, les *greeters* se concentrent généralement sur leur quartier. Aux Bahamas, vous pourriez être invitée à partager un repas typique avec une famille. En Argentine, on vous jumellera avec un *Cicerones* qui connaît bien les coins ou les thèmes qui vous intéressent. Vous voulez découvrir les meilleures adresses pour goûter le *dulce de leche* ? Voilà le genre de mission que votre « guide » d'un jour pourrait accomplir !

Chaque cellule est indépendante. Si certains détails diffèrent d'une ville à l'autre, l'esprit reste le même : visiter un endroit comme on le ferait avec un ami. C'est pourquoi les circuits ne sont pas coulés dans un moule. L'itinéraire peut varier d'un bénévole – qui n'est pas un guide professionnel – à l'autre. Pour connaître la liste des associations de *greeters* des quatre coins du monde : **globalgreeternetwork.info**. De nouveaux membres s'ajoutent constamment. Cette fois encore, le pourboire est le bienvenu.

10 PISTES POUR DES VISITES GUIDÉES GRATUITES AUX QUATRE COINS DU MONDE

1- Ho Chi Minh, Vietnam. Certaines des universités de la ville ou des écoles de langue proposent également des tours guidés gratuits par les étudiants qui cherchent à améliorer leur anglais. **Info : saigonhotpot.vn/**

2- Toronto et Vancouver, Canada. Tourguys.ca propose des visites de la ville sous différentes thématiques (par exemple, « Graffitis » ou « Fantômes ») tous les jours sauf le lundi. Différents circuits sont offerts. Là encore, un pourboire est apprécié. **Info : tourguys.ca/toronto-tours/ free-toronto-tour, tourguys.ca/vancouver-tours/free-vancouver-tour**

3- Buenos Aires, Argentine. Joignez une visite guidée gratuite thématique en espagnol l'après-midi, le samedi et le dimanche, au départ de l'office de tourisme (le nombre de participants dépend du nombre de demandes ainsi que de la saison touristique, mais généralement autour de 12 personnes). BA Free Tours propose également des visites gratuites de deux heures et demie en anglais à 11 heures et à 17 heures tous les jours. **Info : turismo.buenosaires.gob. ar/en et bafreetour.com/english-home**

4- Londres, Angleterre. Réservez le Undiscovered Free Tour Royal London, une balade historique à pied et gratuite proposée tous les jours à 11 heures et à 15 heures devant la statue de Diane Chasseresse dans le parc Green. Au programme : le palais de Buckingham avec la fameuse relève de la garde (à 11 h 15, les gardes arrivent avec une fanfare, et à 11 h 30, le changement officiel débute) et l'abbaye de Westminster. Parfait pour se familiariser avec la capitale lors d'une première visite. **Info et réservation : weareundiscovered.com/london/free-tour/**

5- Prague, République tchèque. Vous aimez découvrir une ville en flânant à pied ? Prague s'y prête très bien avec ses rues piétonnières, ses grandes places, ses parcs, ses jardins et ses sentiers au bord de la rivière. La plupart des services de navette de l'aéroport, par exemple *Prague airport transfers*, vous remettront un bon d'échange pour participer à une visite guidée à pied gratuite quotidienne à 11 heures qui vous mènera aux différents sites touristiques de Prague, comme la place Venceslas et le pont Charles. **Info : aeroport-prague.fr/prague-excursions-gratuite.htm**

6- Quito, Équateur. Promenez-vous dans la vieille ville afin d'admirer les bâtiments à l'architecture coloniale, dont certains datent des années 1500. Des visites guidées des principales *plazas* et églises sont offertes gracieusement 6 jours par semaine en anglais et en espagnol. **Info : freewalkingtourecuador.com/**

7- Rome, Italie. New Rome Free Tour propose une visite gratuite de la ville de 14 heures à 17 h 30 tous les jours : les Anges de Bernini, Les tombes de la Reine Margherita, la Piazza di Spagna, le Panthéon, la fontaine de Trevi et bien plus. Notez par ailleurs qu'il est possible de visiter gratuitement le musée du Vatican et la chapelle Sixtine le dernier dimanche de chaque mois (entre 9 heures et 12 h 30). Depuis juillet 2014, les musées publics sont gratuits seulement pour les moins de 18 ans (tarif réduit pour les 18-25 ans). Chaque premier dimanche du mois, les sites de la culture publique (musées, galeries, fouilles archéologiques, parcs et jardins monumentaux) sont cependant gratuits pour toutes les catégories de visiteurs. Il est aussi possible de visiter ces mêmes sites pour 1 €/1,5 $CAD lors des deux nuits des musées. **Info : newromefreetour.com et turismoroma.it** (existe aussi en français).

8- Hoi An, Vietnam. Hoi An Free Tour, une organisation locale d'étudiants à l'université, offre des visites guidées à vélo afin de découvrir la campagne, comme les villages de Kim Bong, Tra Que et de Cam Thanh. Admirez de superbes paysages ruraux de rizières, de villages de pêcheurs, de buffles travaillant dans les champs. Un bel échange culturel et une occasion d'interagir avec les populations locales. (Gratuit, mais il faut compter 1 €/1,50 $CAD pour le trajet en traversier, 1,50 €/2 $CAD pour soutenir une communauté locale et 2 $CAD/1,50 € pour la location du vélo). **Info : hoianfreetour.com**

9- Tokyo, Japon. Rejoignez une visite guidée de quarante minutes du Tokyo Stock Exchange, la deuxième place boursière mondiale, et ce, tous les jours en semaine à 13 heures (réservations requises). Le rez-de-chaussée de la bourse est une bulle de verre renfermant une poignée d'hommes concentrés devant leur ordinateur, contrôlant le bon déroulement des échanges. La fée clochette vous en raconte l'histoire et vous explique le fonctionnement des lieux dans une vidéo d'introduction. Une touche typiquement japonaise ! **Info : tse.or.jp**

10- Yangon, Birmanie. Pour en apprendre davantage sur l'histoire royale, l'architecture des pagodes, etc. Gratuite, la visite a lieu tous les lundi, samedi et dimanche après-midi ainsi que le mercredi matin. Rendez-vous au stationnement en face de l'hôtel de ville ! Repérez le guide au T-shirt vert. Un pourboire est apprécié. **Info : facebook. com/freeyangonwalks**

10 visites et activités gratuites (ou presque) à faire à ...

... MONTRÉAL, CANADA

1- Les installations éphémères de **Luminothérapie** égaient la saison froide de décembre à février dans le Quartier des spectacles. Originales et interactives, ces créations urbaines transforment le secteur en galerie d'art à ciel ouvert. **Info : quartierdesspectacles.com**

2- En juin, **MURAL, le Festival d'art public** permet de voir la création de nouvelles œuvres sur les murs des édifices du boulevard Saint-Laurent en direct. Bien sûr, il est possible d'admirer leurs œuvres le reste de l'année aussi ! **Info : muralfestival.com**

3- Pendant le Festival des films du monde, qui se déroule chaque année entre la fin août et le début septembre, **Cinéma à la belle étoile** offre l'opportunité de voir des films en plein air. **Info : ffm-montreal.org/cinema-a-la-belle-etoile.html**

4- **Un grand classique montréalais : les Tam-tams du Mont-Royal !** Tous les dimanches de midi au coucher du soleil, de début mai à fin septembre, retrouvez les joueurs de percussions autour du monument dédié à Sir George-Étienne Cartier, au parc du Mont-Royal. **Info :**

tourisme-montreal.org/Specialistes-du-voyage/Quoi-Faire/
Evenements/les-tam-tams-du-mont-royal

5- **Musée des Beaux-Arts :** Le dernier dimanche de chaque mois, les collections et les expositions-découvertes sont gratuites pour tous. Le reste du temps, elles le sont aussi, sauf pour les 31 ans et plus (exception le jeudi, gratuit pour les 65 ans et plus). Quant à lui le **musée McCord** raconte l'histoire des gens et des communautés locales. L'entrée est libre les mercredis dès 17 heures. **Infos : mbam.qc.ca ; musee-mccord.qc.ca/fr/**

6- Salsa, tango et danse en ligne en plein air aux Serres de Verdun ! Apportez votre chasse-moustiques et déliez-vous les jambes à la ISLA SALSA 7000, boulevard LaSalle, à Verdun. **Info : salsamontreal.com**

7- De décembre à mars, il est possible de patiner gratuitement au village d'hiver du **Parc olympique**, situé sur l'Esplanade Financière Sun Life, derrière le métro Pie-IX et Pierre de Coubertin, en plus d'avoir accès à un chalet chauffé et de pouvoir profiter de l'animation.

8- Jardin botanique : en basse saison, l'accès aux seuls jardins extérieurs est gratuit pour tous. **Info : espacepourlavie.ca/jardin-botanique**

9- C'est la canicule et vous avez chaud ? L'accès aux **piscines publiques** couvertes et en plein air ainsi qu'aux jeux d'eau est toujours libre pour tous ! **Info : ville.montreal. qc.ca**

10- Cité Historia, site patrimonial du parc-nature de l'Île-de-la-Visitation, propose une foule d'activités en plus de la visite du **musée du Sault-au-Récollet** (ouvert seulement l'été). Une application mobile peut vous guider dans la découverte des moulins qui étaient jadis en opération. Une immersion dans l'histoire de l'industrialisation de la ville de Montréal de 1726 à aujourd'hui ! **Info : citehistoria.qc.ca**

À consulter pour d'autres pistes : tourisme-montreal. org, mtlinstantane.com et **mtlpascher.com**. À noter que Free Montréal Tours propose aussi un bel éventail de visites gratuites, par exemple sous l'angle de la gastronomie. **Info : freemontrealtours.com/**

... NEW YORK, ÉTATS-UNIS

1- Impossible désormais d'ignorer la **High Line**, voie ferrée de 2,4 km devenue un fabuleux parc aérien vert. En plus d'offrir un point de vue différent sur la ville, l'endroit est un point de rencontres et de détente au cœur de la ville. Une galerie à ciel ouvert avec de splendides vues sur la rivière Hudson et sur plusieurs quartiers ! Le projet a été en partie financé par les citoyens. **Info : thehighline.org**

2- Promenade sur le **pont de Brooklyn** afin de profiter de superbes vues sur l'île de Manhattan, de l'autre côté.

3- Pique-nique à **Central Park**. Certains classiques méritent leur réputation. Central Park vaut franchement la peine d'être découvert au pas de course, à vélo (on peut en louer à moindre coût avec **Citi Bike** : citibikenyc.com) ou simplement le temps d'une longue promenade où l'on s'amusera à repérer les lieux qui ont servi maintes fois de décor de cinéma. **Info : centralparknyc.org**

4- Vous faites fièrement partie des émules d'Indiana Jones ? Vous aimerez sans doute le **parc Alley Pond**, où l'on trouve des murailles rocheuses à escalader et des circuits d'accrobranche dans les arbres. Gratuit, mais le nombre d'inscrits est limité. Pour des activités sportives plus conventionnelles en plein air, le **parc House** au parc Rockefeller avec sa multitude d'équipements sportifs divers et variés est tout indiqué.

5- Parmi les musées et galeries d'art en tout genre, le **musée de l'Immigration sur Ellis Island**, porte d'entrée à l'époque (entre 1892 et 1954) pour tous les nouveaux immigrants aux États-Unis, devrait satisfaire votre soif d'histoire et de culture.

6- Côté bouffe, l'achat d'une boisson au **Rodeo Bar** (3e Rue, 27e Avenue) vous permet de grignoter *nachos* et ailes de poulet gratuites entre 16 heures et 21 heures le mardi, jeudi et samedi, en début d'après-midi. Vous pourrez aussi prendre une bouchée sans débourser un sou grâce aux démonstrations de chefs chez **Macy's Herald Square**.

7- La bière est par ailleurs offerte par le brasseur invité au **bar Beirkraft** (Brooklyn 5e Avenue) tous les mardis soir. Le mercredi, cocktails gratuits pour les femmes (20 h-21 h) au **Mercury Bar** (3e Avenue, 33e Rue) !

8- Vous aimez danser ? L'école **Dance Manhattan** accueille les amateurs une fois par mois avec cours gratuits et spectacles des étudiants de l'école.

9- Et le théâtre ? **Shakespeare in the Parking Lot** vous offre gratuitement des pièces en plein air sur la rue Broome dans le Lower East Side.

10- Finalement, le **Museum of Modern Art** présente des films du monde entier le vendredi après-midi. C'est gratuit, mais il faut réserver vos billets ! **Info : moma.org**

8 activités gratuites (ou presque) à faire à ...

... BANGKOK, THAÏLANDE

1- Se balader en **traversier**[11] **public sur le fleuve Chao Praya** et rencontrer les commerçants faire leurs échanges de produits frais, avec vue imprenable sur les monuments et les temples. (Presque gratuit – entre 10 sous/6 centimes et 2 €/3 $CAD pour un laissez-passer quotidien !)

2- Assister à un **spectacle de marionnettes** traditionnelles racontant des grands moments de l'histoire du pays tous les jours à 14 heures (sauf le mercredi) - Adresse (pas de site web) : Soi Wat Thong Sala Ngarm, Phasi Charoen/Tél. : +66 83 034 9858/BTS Wongwian Yai, puis taxi.

3- Prendre part à un **cours de méditation au temple Wat Mahathat** tous les jours de 7 heures à 10 heures, de 13 heures à 16 heures et de 18 heures à 20 heures. Il suffit de se présenter et tout dépendra des moines disponibles et de leur niveau d'anglais.

4- Prendre une bouffée de fraîcheur et **pique-niquer au parc Lumpini,** les poumons de Bangkok, afin d'y pratiquer une activité de plein air avec la population. On retrouve dans cet espace d'une superficie de 500 000 m² une faune et

---

11 Ferry.

une flore assez variées et représentatives du pays en général, comme le fameux lézard monitor.

5- Assister à un **combat de jeunes boxeurs thaïs** qui s'affrontent en plein-air en face du centre d'achats MBK, tous les mercredis de 18 heures à 21 heures.

6- Découvrir les **trains secrets de la ville**, des locomotives en parfait état, mais qui ne sont plus en fonction. Il n'y a pas de visites officielles. Il faut se rendre à l'hôpital Siriraj, à l'est de la nouvelle gare ferroviaire de Thonburi, afin que l'on vous en indique l'accès.

7- Au **temple bouddhiste et au monastère de Chakrawat** dans le Chinatown, observer de vrais **crocodiles**, gardés dans un bassin dans l'enceinte du temple.

8- Profiter de courts **spectacles de danse thaï au sanctuaire d'Erawan**, consacré au dieu hindouiste Brahm, entre 6 heures et minuit.

... SÉOUL, CORÉE DU SUD

1- Siroter un thé dans les nombreux salons de thé d'un des quartiers traditionnels de la ville. (Presque gratuit !)

2- Méditer au temple bouddhique de Jogyesa en profitant de l'encadrement de moines si souhaité.

3- Se balader dans le superbe quartier traditionnel et bien préservé de **Bukchon,** où l'on trouve 900 maisons de style *hanok* aux toits pointus de tuiles orangées.

4- Chanter au karaoké dans la rue et partager un *soju* (vin de riz fermenté) avec les locaux, par exemple dans les quartiers de Hongdae et de Gangnam-gu. (Tant pis si vous ne parlez pas coréen : ce sera encore plus drôle !) Les karaoké Su Noraebang sont une valeur sûre !

5- Vivre l'animation de la **rue piétonne d'Insa-dong.**

6- Expérimenter le Séoul moderne, ultra-connecté, chic et consumériste au quartier de **Gangnam-gu.**

7- Découvrir la **vie nocturne de DVD-Bang à Jonggak.**

8- Visiter les **universités du quartier de Hongdae** pour leur architecture futuriste.

... TOKYO, JAPON

1- Découverte **du quartier d'Akihabara,** célèbre pour les **mangas et les boutiques d'électronique** et autres gadgets high-tech adjacentes. Essayez aussi quelques perruques flashy !

2- Se laisser étourdir par le mouvement du **carrefour de Shibuya.** Installez-vous dans un café pour mieux profiter du spectacle de tous ces gens traversant en même temps. Impressionnant !

3- Visiter le passionnant **musée de la Publicité et du Marketing, ADMT (Advertising Museum Tokyo),** afin de comprendre l'évolution du monde de la pub au Japon. Il n'y a que très peu d'explications traduites, mais les images parlent d'elles-mêmes ! **Info : admt.jp/en/**

4- Constatez l'omniprésence de la technologie en visitant les **salles de démonstration de TOTO,** la plus grande entreprise de sanitaire du pays. Des toilettes de rêve, automatisées, multifonctions, avec siège chauffant, musique et petits jets nettoyants.

5- Parcourir le quartier d'**Electric Town** afin de découvrir l'infinité d'objets ou gadgets électroniques (du matériel photographique à l'autocuiseur de riz en passant par la console de jeux vidéo). Yodobashi-Akiba est l'un des plus grands magasins (neuf étages !).

6- Faire un vœu au **temple Senso-Ji**, le plus vieux et le plus populaire des temples de la ville. Les fidèles bouddhistes viennent tirer leur *omikuji*, véritable loterie sacrée, afin de voir leurs vœux se réaliser.

7- En dehors des périodes de tournois (**sumo.org.jp/ en/**), assister à un **entraînement de sumos**, en semaine le matin vers 6 heures, dans une des écoles appelées « heya » du quartier de Ry goku. Visiter le musée gratuit dans le stade de sumotori, le Ry goku Kokugikan.

8- **Observer les joueurs d'un Pachinko** (sorte de casino), où l'on retrouve des milliers de billes qui dévalent les machines. Fréquenté majoritairement par des hommes, le Pachinko est un véritable phénomène social au pays et, dans certains quartiers de Tokyo, des rues entières y sont dédiées. Les jeux d'argent n'étant pas autorisés au Japon, la loi est détournée et les billes sont échangées contre des cadeaux ou des lingots métalliques. Les gains (billes) sont échangés contre des lots qui sont eux-mêmes ensuite échangés contre de l'argent dans les boutiques avoisinantes.

... BUENOS AIRES, ARGENTINE

1- Le dimanche, la **Feria de San Telmo** sur la **Plaza Dorrego** met l'artisanat et le tango à l'honneur.

2- Marche dans le **quartier Caminito**, musée à ciel ouvert où l'on peut admirer des œuvres de Capurro, Leone et Vergottini, et sur la **rue Lanin,** pour ses 35 maisons peintes par Marino Santa María, au **Barrio Chino** pour son temple bouddhiste et ses poissonniers.

3- **Museo Nacional de Bellas Artes**, toujours gratuit. Y sont exposées des œuvres de Degas, Gauguin, Klee, Kandinsky et Van Gogh, ainsi que d'artistes d'Argentine et d'Amérique du Sud. **Info : mnba.gob.ar/en**

4- Gratuit le mercredi, le **musée d'Art latino-américain** vous propose peintures, sculptures, dessins et photos de Kahlo, Rivera, Clark et Torres García. **Info : www.malba.org. ar/**

5- La **Feria de Mataderos**, le week-end, permet de découvrir l'attirail des gauchos (les « cow-boys » nord-américains !), les travailleurs sur les ranchs et gardant les troupeaux de bétails.

6- À ne pas manquer : les **fossiles vieux de 200 000 ans exposés dans certains tunnels du métro** des stations Juramento ou Tronador.

7- Deux parcs pour se promener, faire du vélo ou pique-niquer : la **Reserva Ecológica Costanera** et le **Bosques de Palermo**. **Info : reservacostanera.com.ar/en/, turismo. buenosaires.gob.ar/es/atractivo/bosques-de-palermo**

8- Le « poumon » de Buenos Aires reste le **Jardín Botánico Carlos Thays**, qui couvre 17 hectares d'espaces verts et compte 6 000 espèces de plantes. Profitez de **visites** guidées gratuites en français les vendredis à 13 heures, d'autres visites gratuites sont offertes, mais en espagnol. **Info : buenosaires.gob.ar/espaciopublico/mantenimiento/ espaciosverdes/jardinbotanico**

... CUSCO, PÉROU

1- Avec ses vues magnifiques, ses charmants cafés et ses nombreuses galeries d'art, prélassez-vous dans le **quartier piéton et bohème de San Blas**, au nord-est de la Plaza de Armas.

2- Si vous êtes en forme, prenez la pente raide jusqu'à la Calle Suecia de la Plaza de Armas menant à l'**église de San Cristobal**, afin d'avoir l'un des plus beaux panoramas sur Cusco.

3- La plupart des **clubs de salsa** de Cusco offrent des cours gratuits presque chaque soir, généralement de 21 heures à 23 heures. Dans plusieurs endroits, on distribue aussi des boissons gratuites. *« Pour y avoir droit, il faut retirer les coupons sur la place principale. »* Plusieurs restaurants offrent aussi des **cours de cuisine gratuits** qu'ils annoncent à l'entrée.

4- La **statue du Cristo Blanco**, offerte en 1945 par la communauté arabo-palestinienne de la ville, est à voir. La vue depuis le belvédère est à couper le souffle. De Choquechaca, trouvez la rue transversale Atoqsaycuchi et commencez à monter les escaliers vers le sommet. Tournez à gauche et vous trouverez un sentier qui débouche directement au pied de la statue.

5- Le **musée Irq'I Yachay** cherche à donner des opportunités de développement cognitif aux enfants des communautés andines avoisinantes plus défavorisées. L'artisanat (peintures, tissage) créé représente bien la culture traditionnelle andine. Les dons sont les bienvenus et permettent d'encourager une bonne cause.

6- Les toboggans de pierre et les **tunnels cachés derrière les ruines de Sacsayhuamán** raviront l'enfant qui sommeille en vous !

7- **La ICPNA** (*Instituto Cultural Peruano Norteamericano*) propose des **conférences et des films d'auteur gratuits**.

8- Si vous passez près de l'édifice administratif sur la Calle Plateros, portez attention aux **écoliers qui y pratiquent régulièrement des danses traditionnelles**.

10 expériences coups de cœur de Marie-Julie

💜 **Zodiac et kayak avec les bélugas sur la baie d'Hudson à Churchill, au Manitoba (Canada).** Pour se retrouver entourée de dizaines de baleines blanches. Magique ! Notez qu'il est aussi possible de plonger en apnée avec ces mastodontes.

💜 **Barbecue sur la plage au Sénégal.** Achetez des poissons frais aux pêcheurs qui accostent. Allumez un feu et faites cuire poissons et crustacés directement sur les braises. Un délice inégalé ! Relaxez-vous aussi sur les plages quasi désertes de la Petite-Côte, hors des zones prisées des touristes.

💜 **Lever de soleil sur les dunes.** Peu importe le désert, voir le paysage onduler sous les rayons du soleil constitue une expérience d'une rare intensité. Je n'oublierai jamais le lever de soleil à Wahiba Sands, au sultanat d'Oman !

💜 **Visite de Dawson City, au Yukon, Canada.** Pour découvrir l'incroyable histoire de la ruée vers l'or, mais surtout ses personnages d'hier et d'aujourd'hui. Où, ailleurs dans le monde, peut-on croiser à notre époque un homme qui a choisi de vivre dans une grotte dans un coin de pays où le mercure descend jusqu'à – 50 degrés l'hiver ? Oui, de vrais personnages colorés. À noter que les visites guidées de Parcs Canada sont exceptionnelles.

💜 **La Cappadoce en montgolfière.** Pour voir les paysages lunaires de cette région fantasmagorique de la Turquie. Vus d'en haut, les falaises, cheminées de fée, pitons et autres formations géologiques aux formes diverses sont encore plus impressionnantes. Activité hautement touristique, mais dont vous vous souviendrez toute votre vie.

♥ **Le Canada en train.** Pour la variété des paysages traversés, mais aussi pour vous offrir une douce parenthèse hors du temps, sans Wi-Fi ni réseau cellulaire pendant la majeure partie du trajet.

♥ **Les randonnées au Costa Rica.** Plusieurs sites sont dignes d'intérêt tant à cause de leur faune que de leur flore, mais le Parc national Rincón de la Vieja est celui qui m'a le plus fascinée à cause de ses fumerolles, de ses flaques de boue en ébullition et de ses paysages changeants. Le Parc national Corcovado, au sud du pays, permet d'observer de nombreuses espèces comme le tapir, l'ara et le fer de lance, le serpent le plus mortel de l'Amérique centrale et du Sud.

♥ **Sur les traces des écrivains célèbres.** Une de mes thématiques favorites. On peut voyager loin et longtemps en suivant par exemple les traces d'Hemingway, de Chicago à Paris en passant par La Havane !

♥ **Le Fjord du Saguenay, Québec, Canada.** Il est possible de prendre part à différentes croisières ou de louer une embarcation pour naviguer sur ses eaux, mais découvrir le Fjord depuis la rive permet de prendre la pleine mesure de sa majesté. Particulièrement beau dans le secteur de l'Anse-de-Roche, à Sacré-Cœur, près de Tadoussac.

♥ **Les fêtes sur la plage.** D'accord, les *full moon parties* ont beaucoup changé au fil des ans, avec les bons et les mauvais (surtout les mauvais) côtés du succès. Mais si vous aimez faire la *fiesta*, celles de Ko Pha Ngan, en Thaïlande est à considérer.

10 expériences coups de cœur d'Ariane

♥ **La plongée en apnée dans les eaux glaciales de Silfra, Islande.** Près de Reykjavik se trouve cette fissure entre les deux plaques tectoniques des continents de l'Amérique et de l'Eurasie. La visibilité de l'eau turquoise est extrêmement claire, permettant d'admirer ces murs de laves. Une expérience unique, malgré l'inconfort de la combinaison de plongée et la coloration bleutée de vos lèvres !

♥ **Le trajet du train transmongolien entre Beijing, Chine, et Oulan Bator, Mongolie.** Un classique ! Ce trajet de trente heures traversant d'incroyables paysages de pics rocheux en Chine et du désert de Gobi en Mongolie ! Confort de base, mais de superbes rencontres et thé à volonté !

♥ **La Route de la mort à vélo, Bolivie.** Anciennement la route la plus dangereuse au monde, le segment en terre du Camino de la Muerte est maintenant réservé aux vélos qui y passent à toute vitesse, traversant de petites chutes, sur le bord de la falaise. Une descente aux enfers de 4 650 à 1 200 m !

♥ **Les chutes Victoria en Zambie et au Zimbabwe survolées en ultraléger.** À bord d'un appareil motorisé de type ultraléger et accompagnée d'un pilote, admirez les plus impressionnantes chutes du monde, parsemées d'hippopotames et où l'on aperçoit le profond sillon laissé par le canyon à travers les siècles.

♥ **Les safaris animaliers au parc d'Etosha, Namibie.** Rendez-vous dans le plus grand parc animalier d'Afrique australe, le parc d'Etosha, afin d'y faire la rencontre des « *Big Five* ». Contrairement à la plupart des autres parcs animaliers en Afrique, vous aurez vraiment l'impression que ce sont les animaux qui vous rendent visite et non le contraire.

♥ **La plongée en apnée avec les requins baleines à Isla Holbox, Mexique.** Ni requin ni baleine, c'est le plus grand poisson du monde ! Équipée d'un masque et d'un tuba, vous vivrez une expérience unique en nageant avec cette merveille de la nature de 12 mètres de long qui se nourrit de plancton !

♥ **Les périples en camping-car/campeur de type** *Westfalia* **aux quatre coins de l'Europe.** C'est l'idéal pour découvrir l'Europe, idéalement entre les saisons touristiques. Vous devrez sûrement devenir « mécanicienne » malgré vous car bien que voyager en camping-car/campeur de type *Westfalia* soit des plus pratique pour s'arrêter où vous voulez, les pannes (fréquentes) font aussi partie de l'aventure.

♥ **La navigation à bord d'un catamaran, Malaisie et Thaïlande.** Qu'est-ce qui rime le plus avec liberté que de partir à l'aventure en voilier ? C'est LA meilleure façon de sortir des sentiers battus et de découvrir ces petites îles autrement inaccessibles. Les sites de plongée y sont aussi superbes ! Mais c'est toute une expérience d'éviter les petits bateaux de pêcheurs la nuit qui installent leurs filets et qui, selon la croyance populaire, feront un détour pour passer très près de vous en essayant de vous « voler votre chance d'attraper des poissons » !

♥ **Les tyroliennes à la canopée des arbres au Costa Rica.** Une expérience aujourd'hui des plus courues au Costa

Rica. Découvrez notamment la Réserve de Santa Elena, près de Monteverde, via l'une des plus longues tyroliennes du pays (15 câbles et 18 plates-formes sur 4 km) ! Entraînez vos cordes vocales : des sensations fortes assurées !

♥ **Le surf et le SUP à Hawaï, États-Unis.** Eh oui, l'un des meilleurs endroits pour pratiquer son équilibre sur une planche de surf et le « *Stand Up Paddle* ». Vous aurez probablement mal un peu partout les premiers jours, mais en redemanderez par la suite ! Un monde à part que celui des surfeurs, un style de vie !

Choc culturel
« 101 »

On le dégaine à la première occasion, au moindre problème ou pour justifier notre difficulté à partir à l'aventure. C'est LUI, le grand responsable de tous nos maux. LUI, qui provoque cette envie soudaine de sauter à l'élastique ou, au contraire, la peur de notre ombre dans le sable rouge. LUI, qui dicte nos agissements et nous souffle à l'oreille qu'on a tout faux. Il a le dos large, le choc culturel.

En gros, les experts vous diront que les voyageurs qui se rendent dans une contrée lointaine traversent trois phases : la lune de miel, le choc, puis l'adaptation ou l'échec.

En clair, c'est comme en amour. Au début, le mec qui ronfle, c'est plutôt attendrissant. Après, on réalise qu'à force de ne pas dormir, notre humeur devient de plus en plus massacrante. Au final, soit on le largue, soit on s'achète des boules Quiès.

Vous nous suivez ?

7 vérités à propos du choc culturel

1- On peut s'y préparer, mais il ne suit aucune « recette » précise.
On se sent comme Alice au pays des merveilles et un beau jour, bang ! Un vieillard édenté nous sourit de toutes ses... heu, gencives en nous tendant une étrange mixture dont l'odeur rappelle celle d'une taverne au petit matin mêlée à des effluves de détritus pour nous souhaiter la bienvenue. *Glup.*

2- On n'en meurt pas.
En revanche, il peut parfois occasionner quelques désagréments, comme la *tourista* (on veut tellement montrer qu'on arrive à s'intégrer qu'on engouffre ladite mixture), des hallucinations (ah ? Ce n'était pas pour manger, la plante que vous m'avez offerte ?) ou une envie irrépressible de revoir le film d'animation *Astérix et Cléopâtre* (« *Je saurai vous montrer comment meurt une reine !* »). Bon, d'accord, il peut aussi rendre (encore plus) mégalo. Et hypocondriaque.

3- Votre sens de l'humour risque de foutre le camp.
Surtout si vous abusez des plantes hallucinogènes et que vous vous retrouvez face au vieillard édenté au sourire un peu trop large.

4- Vous vous sentirez peut-être désorientée.
Et pas seulement parce qu'il est impossible de

géolocaliser votre position puisqu'il n'y a ni Wi-Fi ni électricité, et que, par conséquent, la batterie de votre portable est complètement déchargée.

5- Vous aurez peut-être envie de manger et de boire de manière compulsive.
On fait quoi, sinon, pour tuer le temps quand on n'a plus de portable ? Quand vous réalisez que vous ne pouvez même pas *Instagramer* le contenu de votre assiette, vous vous empiffrez encore plus. Un petit cocktail aux détritus avec ça ?

6- La peur du rejet risque de vous rappeler vos 13 ans.
Vous vous mettrez d'ailleurs à vous coiffer aussi mal qu'à cette époque.

7- Votre mère vous manquera soudainement.
Finalement, sa ratatouille n'était peut-être pas si mauvaise. Allez hop ! Cul sec, le cocktail ! Dans les dents, heu… gencives, le choc culturel !

Comment survivre au choc culturel en 5 leçons (pas si) faciles

1- Admettez qu'il vous a frappé de plein fouet, ce salaud. Ce n'est pas mettre le choc K.-O. qui vous fera gagner, mais plutôt accepter le fait que vous n'êtes peut-être pas la superhéroïne que vous avez toujours cru être. Ce n'est pas grave, ça arrive aux meilleures.

2- Intéressez-vous à l'autre. Essayez de comprendre le monde qui vous entoure plutôt que de ramer à contre-courant. « *On doit se dire que si quelque chose se fait là-bas, c'est qu'il y a une raison*, dit le Sénégalais Jean Baptiste Ndiaye, titulaire d'une maîtrise en humanitaire et solidarité à l'Université Lyon-II, en France, qui donne aujourd'hui des formations d'initiation à la coopération internationale à des employés et stagiaires de différents organismes québécois. *C'est cette raison qu'il faut aller chercher. Je donne souvent l'exemple de deux icebergs qui se rencontrent. Quand nous regardons un iceberg, nous voyons la partie qui sort de l'eau. Mais elle est soutenue par une partie sous l'eau, beaucoup plus grande. Quand deux icebergs se rencontrent, le choc se fait par le bas. Les deux pointes n'arrivent pas à se joindre parce qu'ils ont d'abord eu ce choc. Tant qu'ils ne descendront pas pour mettre la tête sous l'eau et voir ce qu'il y a en bas, ils ne pourront pas se comprendre.* »

3- Apprenez à voir les choses sous un autre angle.

Quiconque a déjà voyagé en Afrique a par exemple entendu : « *Vous, vous avez l'heure. Nous, on a le temps.* » La différence va bien au-delà de la gestion du temps. « *Quand quelqu'un arrive en retard, ce n'est pas parce qu'il n'avait pas le "souci" du temps, mais parce que les imprévus – des connaissances croisées sur la route – entre chez lui et le lieu du rendez-vous sont nombreux,* explique également Jean Baptiste Ndiaye. *Quelle que soit l'importance de la réunion, il est impossible de ne pas céder à ces imprévus parce qu'ils font partie du fondement même de cette société.* » Non, la personne en retard ne vous manque pas de respect. C'est juste qu'elle respecte aussi les gens qui se trouvent sur son chemin…

4- Respectez vos limites.

Quel type de périple avez-vous vraiment envie de faire ? Dans certains milieux, plus un voyage est difficile, mieux il est perçu par les pairs. Vous rêvez de visiter une contrée exotique mais vous ne vous sentez pas à l'aise à l'idée de le faire sans encadrement ? Non, vous n'êtes pas obligée de voyager « à la dure » ! Sachez que de nombreux voyagistes et agences de voyages offrent des circuits accompagnés qui vous simplifieront grandement la vie et n'ont rien à voir avec ceux de votre mémé. L'important est de connaître, d'accepter et de respecter vos limites. La seule personne à impressionner, c'est vous-même !

5- Faites la part des choses. Restez vous-même !

Personne ne vous demande de vous transformer en Malienne, en Fidjienne ou en Chinoise. En revanche, rien ne vous empêche de vous inspirer de certains aspects culturels au retour. « *Forcément, dans un voyage, il y a des choses qui nous conviennent, et d'autres moins,* observe Jean Baptiste Ndiaye. […] *Ce qui ne vous convient pas, laissez-le là-bas. Essayez simplement de comprendre. Cela pourra vous aider dans le futur.* »

L'énigme du retour

Oui, le « choc culturel inversé » existe. Pour certaines, il est même plus difficile à vivre que celui reçu dans le pays d'accueil. D'autant plus qu'il frappe bien souvent par surprise ! On se prépare à être dépaysée à l'étranger, mais on ne se prépare pas à retrouver tous ses proches au pays.

Après avoir vécu une expérience intense dans une nouvelle culture, notre perception peut avoir changé. Découvrir d'autres valeurs et modes de vie nous entraîne à remettre en question nos acquis. Ce qui était évident pour nous ne l'est plus forcément. Qui sommes-nous vraiment, après nous être vue si différente dans le regard de l'autre ? Bonjour la crise existentielle !

Pour éviter qu'elle vous frappe de plein fouet, trouvez des projets qui vous stimuleront. Avez-vous envie de lancer un blogue ? De faire du bénévolat ? De donner des conférences pour partager vos découvertes ? De retourner aux études ? De changer de boulot ? Prenez le temps de vous poser les vraies questions. D'atterrir en douceur. Et surtout, rêvez !

Conseils de pro :

POUR OPTIMISER SON RETOUR

« *Bien sûr, on prépare son départ, mais il faut aussi penser à son retour, qui peut être très difficile après une expérience intense et authentique, surtout si vous êtes partie longtemps. Avant votre voyage, notez dans un carnet les raisons qui motivent votre départ, pour ne pas les perdre de vue, même au retour, et écrivez ce que vous aimez de votre vie chez vous. Ces notes pourront vous aider le moment venu si l'adaptation du retour est un peu difficile. Autre "must" : pensez à un projet de retour qui vous "allumera". Le danger ultime, c'est de tout miser sur votre voyage et du coup, revenir en ayant l'impression d'être à présent sans rien, privée de but !* »

Véronique Leduc, 32 ans, journaliste voyage et blogueuse, blogues.guidesulysse.com/copines-en-cavale et mtlinstantane.com

Annexes

Les aventurières à travers le temps

Ce n'est pas d'hier que les femmes volent de leurs propres ailes. Déjà au début du xxᵉ siècle, des exploratrices européennes découvraient, en solo, des contrées éloignées. Elles en parlent dans leurs récits, dont certains sont encore disponibles de nos jours.

En voici quelques-unes...

Isabella Lucy Bird (1831-1904) a parcouru le monde en 1873 malgré sa santé fragile, en ajoutant aux difficultés du voyage le port de son corset et de ses robes longues.

Ses carnets de voyage :

Une Anglaise au Far West, Isabella L. Bird, Payot, 2004.

Chez les Tibétains : une voyageuse anglaise au Petit Tibet, Isabella L. Bird, Fédérop, 2008.

Isabelle Eberhardt (1877-1904), née en Suisse d'une mère russe, a sillonné librement les déserts de l'Afrique du Nord, travestie en homme. Elle a choqué les mentalités de l'époque en vivant librement ses voyages.

Ses carnets de voyage :

Lettres et journaliers, Isabelle Eberhardt, Actes Sud, 2003.

Amours nomades, Isabelle Eberhardt, Gallimard, 2008.

Écrits intimes, lettres aux trois hommes les plus aimés, Isabelle Eberhardt, Payot, 2003.

Ella Maillart (1903-1997), née en Suisse, a parcouru l'Asie, la Russie, l'Afghanistan et l'Inde, en plus d'avoir travaillé sur des bateaux, participé aux épreuves de voile aux Jeux olympiques de 1924 et créé une équipe de hockey féminine !
Ses carnets de voyage :
Parmi la jeunesse russe, Ella Maillart, Payot, 2003.
Oasis interdites, de Pékin au Cachemire, Ella Maillart, Payot Voyageurs, 2002.
La Vagabonde des mers, Ella Maillart, Payot Voyageurs, 2002.
La Voie cruelle, deux femmes, une Ford vers l'Afghanistan, Ella Maillart, Payot, 2001.

Alexandra David-Néel (1868-1969), française, a été la première femme européenne à pénétrer au Tibet, en 1924. À l'âge de 100 ans, elle renouvela son passeport !
Ses carnets de voyage :
Voyage d'une Parisienne à Lhassa, Alexandra David-Néel, Pocket, 2008.
Au cœur des Himalayas : le Népal, Alexandra David-Néel, Payot, 2004.
Dieux et démons des solitudes tibétaines, Alexandra David-Néel & Albert Yongden, Plon, 2004.

Blogues

Pour poursuivre l'exploration, voici quelques blogues de filles (ou couples, dans certains cas) en français que nous aimons suivre. Nous en avons sélectionné une cinquantaine, mais plusieurs autres auraient pu se retrouver ici !

• Voyages etc. : voyagesetc.fr
Adeline fait partie des références en matière de voyage en solo. Authentique et sympathique !

• Petites bulles d'ailleurs : petitesbullesdailleurs.fr
Cette journaliste basée à Rennes partage sa passion pour la plongée sous-marine. De magnifiques photos et vidéos !

• Le blog de Sarah : leblogdesarah.com
Sarah, c'est la copine avec qui on veut toutes voyager. Journaliste, elle aime la fête et les défis !

• Travel and film : travelandfilm.com
Le premier mot qui vient à l'esprit quand on découvre l'univers d'Émily : liberté. Cette Française mordue de cinéma a fait du voyage son mode de vie.

• Vie nomade : vie-nomade.com
Corinne n'a pas de domicile fixe. Elle plante ses racines là où le vent la porte et partage des billets intimistes et empreints d'émotion.

• **Les Carnets de traverse : carnets-de-traverse.com/blog**
Les magnifiques carnets de Julie nous donnent envie de sauter dans le premier avion !

• **Globestoppeuse : globestoppeuse.com**
La Québécoise Anick-Marie Bouchard troque parfois le stop pour le vélo, mais conserve toujours son regard lucide. Ici, c'est le voyage alternatif qui est mis en avant.

• **Como la espuma : mawoui.com**
Ici, ce sont d'abord les mots qui sont à l'honneur. Pas de flafla ni de pub : c'est la plume tout en sensibilité et en poésie de Marie-Ève, Québécoise journaliste et guide touristique, qui est mise en valeur.

• **Carnet d'escapades : carnetdescapades.com**
Comme l'indique le nom de son blogue, Laurène nous emmène avec elle dans ses escapades en Europe et ailleurs.

• **Madame Oreille : madame-oreille.com/blog**
Madame Oreille, c'est Aurélie, photographe de talent et nouvelle maman. À suivre pour rêver et pour ses tuyaux photos.

• **Voyages et vagabondages : voyagesetvagabondages.com**
Après un tour du monde en solo, Lucie continue de rêver de voyages. On aime son authenticité et sa générosité.

• **Curieuse Voyageuse : curieusevoyageuse.com**
De la Chine à la maternité, les détours d'Aurélie sont toujours intéressants à suivre.

• **Un sac sur le dos : unsacsurledos.com**
On aime l'angle psycho de plusieurs billets d'Amandine,

qui a d'ailleurs une formation dans ce domaine. Elle voyage avec son copain François, avec qui elle tourne aussi des vidéos.

• **PlanetMonde : planetmonde.com**
PlanetMonde, c'est l'univers de la journaliste spécialisée en voyage Louise Gaboury. Actus, tendances et bons plans !

• **Globe raconteuse : nathaliedegrandmont.com**
Journaliste et chroniqueuse, Nathalie nous livre ses tranches de routes et ses tuyaux.

• **Moi, mes souliers : moimessouliers.org**
Jennifer et ses collaborateurs québécois parcourent le monde pour partager leurs trouvailles.

• **Copines en cavale : blogues.guidesulysse.com/copines-en-cavale**
Pour trouver l'inspiration de vos prochaines escapades entre copines !

• **Destino Buenos Aires : destino-buenosaires.com**
Savoureuses chroniques d'une Française en Argentine !

• **Now mad now : nowmadnow.com**
Aline parcourt le monde lentement, à la recherche d'expériences le plus authentiques possible.

• **Allez Gizèle : allezgizele.com**
Il y a Marion, la rédactrice en chef, mais aussi son équipe de journalistes et photographes, « qui parcourent le monde et qui brassent du contenu comme les Allemands brassent de la bière », comme ils le disent eux-mêmes.

• **L'oiseau rose : oiseaurose.com**
Camille propose conseils, astuces, récits et réflexions.

• **Mymyle après milles : mymyleapresmilles.tumblr.com**
Cette Yukonnaise d'adoption nous fait découvrir le Nord
qu'elle aime tant.

• **Mel loves travel : mellovestravels.com**
Mélissa présente son site comme « le blog belge du voyage
au féminin ». Il faut absolument lire les billets inspirés par
son tour du monde.

• **Détour local : detourlocal.com**
Elle est Belge ; il est Québécois. Alizé et Maxime posent
leurs sacs chaque fois pour plusieurs mois. Gardiennage
de maisons (*house sitting*) et de multiples boulots leur
permettent d'explorer la planète lentement.

• **Travel me happy : travel-me-happy.com**
Pérégrinations de Capucine et Thibault !

• **La fille voyage : lafillevoyage.com**
La fille, c'est Aude, bédéiste, graphiste et rédactrice, qui
illustre ses tranches de route. Son blogue à peine âgé de
quelques mois, elle s'est fait remarquer en 2015 grâce à son
livre numérique, *L'Art de voyager seule quand on est une femme*.

• **Longs courriers : longscourriers.fr**
Tous deux journalistes, Sarah et Manu alimentent ce blogue
qui a connu un second souffle après leur tour du monde.

• **Découverte monde : decouvertemonde.com**
Montréalaise, Rachel a une formation de géographe et travaille à la direction d'un organisme communautaire. Elle privilégie le voyage sac au dos.

• **4 coins du monde : 4coinsdumonde.com**
Florence et Xavier préfèrent les étoiles au voyage à la dure. Le luxe est souvent à l'honneur !

• **Maman voyage : mamanvoyage.com**
Christine, Parisienne et « chef de tribu », partage ses voyages en famille depuis 2009.

• **Roulettes et sac à dos : roulettes-et-sac-a-dos.com**
Audrey roule à travers la planète. Cette globe-trotteuse en fauteuil roulant nous prouve qu'il faut croire en ses rêves !

• **Voyage Pérou : www.voyageperou.info**
Vanessa « Leslie » partage son amour pour le Pérou !

• **Famille au menu : familleaumenu.com**
Deux belles-sœurs et amies québécoises bloguent pour présenter leurs trouvailles en matière de bouffe, resto et voyages avec des enfants.

• **Petits Globetrotteurs : petitsglobetrotteurs.com**
Conseils et astuces d'Émilie, alias Maman Globetrotteuse (à ne pas confondre avec Carolie ci-dessous).

• **Maman Globe-trotteuse : mamanglobetrotteuse.com**
La maternité n'a pas éteint la flamme de Caroline, Québécoise accro à l'exotisme !

• **Coups de cœur pour le monde : coupsdecoeurpourlemonde. com**
Les coups de cœur de Jasmine et Michel, couple de Québécois passionnés de photo et de vidéo.

• **Bouts du monde : blogues.canoe.ca/bouts-du-monde**
Chef de section d'un important portail québécois, Sarah nous amène à la rencontre de gens croisés sur la route et partage ses découvertes.

• **Une porte sur deux continents : uneportesurdeuxcontinents. com**
Les parents de Nathalie sont grecs et québécois et son mari est français. Elle vit entre l'Amérique du Nord et l'Europe.

• **Mille et un voyages : lisegiguere.wordpress.com**
Blogue de la journaliste québécoise Lise Giguère.

• **Miles and love : milesandlove.com**
Récits, conseils et photos d'un couple fou de voyages.

• **Voyage féminin : voyagefeminin.fr**
Christelle habite à Toulouse et blogue depuis 2011. Célibataire, elle cause voyage et lifestyle.

• **Vous êtes arrivé : vousetesarrive.com**
Journaliste et auteure, Véronique propose des infos, des actus et des pistes pour s'inspirer.

• **Eille la cheap ! : eillelacheap.com**
Basée à Montréal, Béatrice privilégie le voyage à petit budget.

• **La boucle voyageuse : labouclevoyageuse.fr**
Vadrouilleuse curieuse, Julie bourlingue surtout en Europe (pour l'instant !).

• **Un tour sur Terre : untoursurterre.fr**
Tour du monde en vidéo de Clo et Clem !

• **Julia Chou : juliachou.fr**
Conseils, délices, techno et coups de gueule d'une Parisienne folle de surf et de guitare.

• **A taste of my life : atasteofmylife.fr**
Gourmandise, voyage et photo !

• **Il était une faim : iletaitunefaim.com**
Globe-croqueuse, Maïder voyage pour manger.

• **Bom Dia Portugal : bomdiaportugal.fr**
Audrey, Française d'origine, vous fait visiter son pays d'adoption, le Portugal.

• **My tour du globe : mytourduglobe.com**
Lucie vit à Londres, mais se balade beaucoup !

Remerciements

Ariane remercie tous les voyageurs et voyageuses qui ont parcouru un bout du monde avec Esprit d'Aventure. Un merci significatif à Michael Brett Adams pour sa présence inestimable !

Marie-Julie remercie quant à elle les fidèles lecteurs de taxibrousse.ca ainsi que tous ceux qui répondent à ses nombreux appels à témoignages sur les réseaux sociaux. Merci particulier à toutes les blogueuses et journalistes qui ont accepté de répondre à ses questions pour ce livre ! Il lui apparaissait essentiel de donner la parole à des femmes de toutes les générations, avec des profils variés. Leur apport constitue une richesse inestimable. ♥

Merci pour leur participation au livre : Alexandra Rouff, Anne Dumortier Aksoy, Anne Sael, Baganaa Altanbagana D., Bruno Sillac, Cao Lei, Carole Avila, Catherine Bergeron, Cédric Poulin, Dr Lucie Bissonnette, Éric Allaire, Gaël Lejay, Geneviève Mineau, Jadoun S., Laurent Messara, Marie-Line Migneault, Marleen Castelein, Olivia Soon, Haja Randrianarisoa, Haja Rasambainarivo, Hassan Boutahar, Rashmi Kant Gandhi, Sophie Laroche, Stéphane Simonin, Thi Thi Aung, Valérie Simoneau.

Merci aux rédacteurs en chef, collègues et amis d'avoir été si compréhensifs pendant la rédaction intense de ce livre !

Table des matières

Conception graphique Isabelle Dupont

© Illustrations Nathalie Jomard

sauf pages 134, 135, 196 : Grofab

MARQUIS

Québec, Canada

Imprimé au Canada
Dépôt légal : juin 2015
ISBN : 978-2-7499-2522-6

LAF 2008